눈물
대신,
**여행**

# 눈물 대신, 여행



**미니 북 1쇄 인쇄** 2016년 6월 24일 **미니 북 1쇄 발행** 2016년 7월 1일

**지은이** 장연정

**펴낸이, 편집인** 윤동희 **기획위원** 홍성범 **디자인** 한혜진 **제작처** 영신사

**펴낸곳** (주)북노마드
**출판등록** 2011년 12월 28일 제406-2011-000152호

**주소** 04003 서울시 마포구 월드컵로 12길 45(서교동 474-8) 2층
**전화** 02-322-2905 **팩스** 02-326-2905 **전자우편** booknomadbooks@gmail.com
**페이스북** booknomad **인스타그램** booknomadbooks **트위터** @booknomadbooks

ISBN 979-11-86561-27-0 04810
979-11-86561-25-6(세트)



○ 이 도서의 국립중앙도서관 출판예정도서목록(CIP)은 서지정보유통지원시스템 홈페이지(http://seoji.nl.go.kr)와 국가자료공동목록시스템 (http://www.nl.go.kr/kolisnet)에서 이용하실 수 있습니다.
(CIP 제어번호 : CIP2016014411)

www.booknomad.co.kr

# 눈물
# 대신,
# 여행

「소울 트립」「슬로 트립」의 장연정,
그녀의 세 번째 이야기

북노마드

## contents

일분일초 소중하지 않을 수 없는,

고마워하며 살기에도 모자란

이토록 사소하고 소중한,

내 생의 모든 순간.

## Part 1

### 미풍 April Breeze



## Part 2

### 오후 비 Gentle Rain

## Part 3
## 작게, 또 한 번 Small Step



## Part 4
## 순간의 산책 an Hour's Journey

**Part 5**

## 어느 아늑한 밤 One Cozy Night

Dessert du Jour

PAVÉ DE SAUMON
POMMES VAPEUR
PIZZA SALADE VERTE

# Part 1

미풍

# April Breeze

이 공기가 바뀌기 전에
나는 떠나야 한다

31

## 유랑기한 20121231

공기 때문에 변해가는 것들이 있다.

너를 기다리며 주머니 속에서 굴리는 동전의 온기.
시큰둥하게 말라가는 사과 한 쪽과
끝까지 마른 제 잎을 부둥켜안고 있는 산세베리아.
좀처럼 건조함을 이기지 못하는 너의 목소리와 두 손.
이를테면 사랑, 이별, 관계 같은 말들이 갖고 있는 온도의 차이.

어느 날 갑자기 찾아오는 새로운 계절의 냄새.
냉장고에 들어앉은, 이틀 후면 마실 수 없게 되는 우유와 주스.
다음 달이면 쓸모를 잃을 일 년짜리 오픈 티켓.

이 공기가 한 번 더 바뀌기 전에 나는 떠나야 한다.

그때가 오면, 지금 이 마음은 사라지고 없을지도 모르므로.

내가 만나고픈 그것들이 언제까지고
그 자리에 있어준다는 보장이 없으므로.

무엇보다
어디론가 떠난다는 사실이 무조건 두려워지는 그런 날이,
그런 슬픈 날이,
언제 내게 찾아올지 알 수 없으므로.

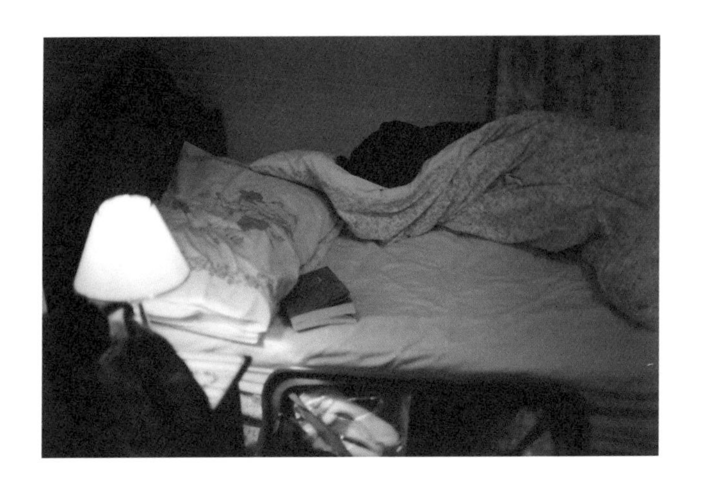

# 내 생의 모든 순간

눈을 감고 초침이 흘러가는 소리를 듣는다.

하나, 둘, 셋, 넷……

초 단위로 과거가 되어가는 현실.

문득 전에 없던 생각이 찾아온다.

나는, 나는, 정말 잘 살고 있는 것일까.

크게 숨을 쉬어본다.

서른한 해의 이야기를 가지고 부풀어온 나의 심장.

다행히도 아직은 따뜻한 피를 가졌다.

겨우 혹은 이만큼이나 살아오는 동안 몇몇의 사람들이

내 곁에서 사라졌다.

곁을 떠나간 이들의 숫자를 헤아려보다

어느새 그들의 이름을 잊어가고 있다는 사실을 깨닫는다.

그럼에도 불구하고, 나는 고맙게도 잘 살아 있구나.
잘 산다는 게
물질을 떠나, 풍요로운 인간관계를 떠나,
안정된 정신의 흐름을 떠나
설명 가능한 것이라면, 나는 아주 잘 살고 있다.

여전히 심장은 뛰고, 자연스럽게 나이를 먹는다.

내일 아침, 나는 다시 눈 뜰 수 있을까.
그건 아무도 알 수 없는 일.
무언가라도 잡고 싶은 심정으로 손을 뻗어
내 생이 가진 결을 쓰다듬어본다.
더 완벽해지지 않아도 좋으니,
더 부유해지지 않아도 좋으니,
더 많은 인연이 필요하지도 않으니
나는 이대로 그저 살고만, 싶다.

살아 있다는 사실을 하나하나 느끼면서.
잠에서 깨어나 너의 심장 소리에 귀를 기울이고,
점자를 읽듯 너의 눈, 코, 입을 하나하나 기억하면서.
매해 친구의 기일을 달력에 표시하고,

잊어야 할 사람들을 모르는 새 잊어가면서.

묻어야 할 기억들을 꾹꾹 밟아가면서.

처음으로 나의 지난 서른한 해를 꼬옥 안아봤다.

잘했다. 잘하고 있다.

내게, 나에게 이야기해준다.

일분일초 소중하지 않을 수 없는,

고마워하며 살기에도 모자란

이토록 사소하고 소중한,

내 생의 모든 순간.

살아 있다.

고맙다. 정말이지 고맙다.

이토록 사소하고 소중한,

내 생의 모든 순간.

## 내가 여행을 떠날 때

밥알이 모래알이다.
나의 웃음이, 행복이, 못된 짓처럼 부끄럽다.
좋은 장소에 들러도 좀처럼 앉아 있을 수가 없다.
나에게 그럴 자격이 있을까, 싶어서.
사랑하는 친구를 지키지 못했다는 죄책감에서 벗어나는 데
오랜 시간이 걸렸다.
오래된 옷에 매달린 보푸라기 같은 그 감정들을,
떼어낼 엄두도 내지 못하고 여기저기 붙이고 다녔다.
그때의 나는 내가 너무, 무거웠다.

울 수 있는 장소는 생각보다 많았다.
새벽, 열어둔 냉장고 불빛 앞, 아무도 없는 코인 빨래방,
혼자 차린 식탁, 이불 사이사이,
횡단보도, 지하철 플랫폼,
버스 끝자리, 마트의 김치 코너……

물먹은 빨랫감에서 물을 짜내듯이
나는 툭하면 내가 무거워 자주 울었다.

아무리 눈을 두지 않으려 해도,
이 넓다는 세상에 그 친구가 없는 곳을 찾을 수 없었다.

그렇게 몇 개월쯤을 지내다보니 더 이상 숨어들 곳이 없었다.
술을 마셔도 취하지 않았고,
우리의 추억을 모두 아는 친구들은 다시 제각각 바빠졌다.
그리고 나는 사직서를 냈다.

지금 나에게 가장 필요한 것은 무엇인가.
어느 날 문득 잠들기 전 텅 빈 수첩을 쳐다보다 든 생각이었다.
사랑하는 누군가의 죽음으로, 산다는 것.
살아 있다는 그 말의 얼굴을 정면으로 응시하게 된 그 순간.
텅 빈 수첩 한가운데 아름다움과 따뜻함.
이 두 개의 말이 나란히 적혔다.

그 커다랗고 그늘진 고통들과 당당하게 마주 보며 뽑아들
따뜻한 삶의 양달.
지금 내게 가장 필요한 것이 그것들이라는 걸 안 순간,

나는 자리에서 일어나 짐을 꾸렸다.

그리고 그런 생각이 들었다.
친구를 잃은 슬픔을 한편으론 내 삶을 치장하는 도구로
쓰고 있는지도 모른다는 생각.
남은 자의 할 일은 어쩌면 그저 내게 주어진 삶을
아름답게 사는 것일지도 모른다는 생각.
첫 결심을 한 날, 차가운 물 한 잔 마시고 꿈도 없는 잠을 잤다.
두 번째 날 티켓을 예매했고,
동네 사진관에 들러 가장 잘 나온 친구의 사진을 현상해
지갑에 꽂아두었다.

올겨울은 유난히 추웠으므로 나는 따뜻한 남쪽의 봄이 그리웠다.
따뜻한 계절이 돌아올 터였으므로, 나는 그렇게 여행을 떠나기로 했다.

밝고, 따뜻하고, 선명한 아름다움이 있는 그곳으로.
따스한 해가 내리는, 내 생의 밝은 양달을 만날 수 있는 곳으로.

나는 살겠다. 되도록 아주 잘. 아름답고 따뜻하게.
나는 기어코 살겠다.
내일 죽는다 해도 아쉽지 않을 만큼 아름답고, 따뜻하게.

# 설렘 변경선

위도의 경계를 넘나들며 달라지는 나무 수종과 지붕의 모양들.
하늘의 빛깔, 사람들의 말투 그 미세한 높낮이,
눈가에 와 닿는 햇살의 무게.
두근거림, 기분 좋은 피곤함, 나른함에 뒤섞인 흥분.

자꾸만 생각나는 한 사람을 가슴속에 다시 밀어넣으며
빼꼼히 열어보는 작은 창.

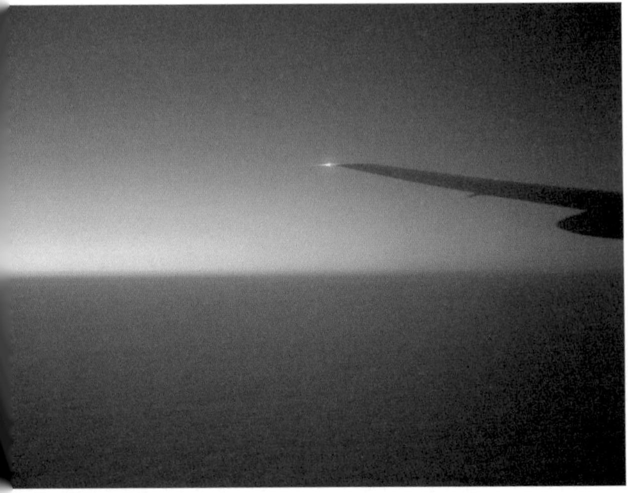

저기 새하얗게 보이는 구름 위는,

언젠가 내가 다시 살게 될 두 번째 세상이기를, 하는 생각으로

다시 눈을 감는 시간.

달라진 나라의 이름보다 더 먼저 다가오는 시차의 변화는

다름 아닌 가슴속에서부터 시작된다.

# 거절의 대가

9월이었어. 스페인에서 맞이한 그 해의 첫 가을.
나는 지중해에 있는 아름다운 휴양도시 마르베야Marbella의 텅 빈 터미널에 앉아 있었어. 론다Ronda의 가파른 절벽이 보고 싶어 무작정 떠난 길.

그날, 론다행 첫 차는 오전 9시에 있었고, 그때까지 나는 4시간을 긴 어둠 위에 앉아 있어야 했지. 새벽 5시 30분. 혼자 느끼는 낯선 땅의 고요는 나쁘지 않았어. 사방으로 고장 난 채 힘없이 열어젖혀진 유리문 틈 사이로 비를 한가득 머금은 바람이 불어들어왔지. 저절로 어깨가 움츠려 드는 제법 싸늘한, 그런 바람이었어.
딱히 할 일이 생각나지 않았던 나는 트렁크에서 담요를 꺼내어 덮은 뒤 멍하니 앉아 사람들을 구경했어. 혼자의 시간을 견뎌내는 방법을 잘 알지 못했거든, 막연하게 쏟아져내리는 쓸쓸한 새벽의 고요를 맞이하는 방법을 잘 알지 못했거든.

혹시 너는 알고 있니?
텅 빈 터미널이 주는 쓸쓸함을.
그곳에 영원히 머무를 수 있는 마음이란 없어. 모두 어딘가로 떠나기 위해, 혹은 그곳에 도착해 잠시 허전한 마음을 털어버린 다음 몸과 맘을 뉘일 곳을 향해 다시 떠나가기 위해 터미널은 존재하지. 결국 서운할 수밖에 없는, 늘 등 뒤에 감춰져 있어야 하는 숨겨진 두 번째 연인처럼. 그래, 북적거릴 때도 쓸쓸한 그곳이 텅 비어 있을 때야 오죽하겠어.

세 사람이 함께였어.
내내 허리를 곧게 편 채 투쟁하듯 정면을 응시하며 앉아 있는 백인 할아버지와 내내 다리를 꼰 채 그 새벽 누군가에게 계속 절망적인 웃음을 쏟아내던 흑인 여자, 그리고 바로 그 남자. 초콜릿 브라운 빛깔의 곱슬머리에 먼지와 때가 겹겹이 앉은 배낭을 메고 연신 허공과 대화를 나누던. 나는 그를 영원히 끝나지 않는 여행을 하고 있는 기인奇人쯤으로 생각했던 것 같아. 그렇지 않고서야 아무도 없는 허공을 향해 그렇게 다정한 대화를 쏟아놓을 수는 없지 않겠어. 보이지 않는 것을 보는 사람. 내겐 영 무서운 사람.

그는 주머니에 손을 넣은 채 꾸벅꾸벅 졸고 있는 나를, 훔쳐보았어. 몇 사람 없는 그곳에서, 그가 나를 쳐다보는 시선쯤 놓칠 리 없잖아.

잔잔한 적요만큼 경계심은 무척 날이 서 있을 수밖에 없으니까.
그곳은 타지였으니까. 나는, 혼자였으니까.
계속해서 잠을 자는 척, 온몸으로 그를 바라보고 있던 나는 어느 순간 나도 모르게 옆으로 길게 누워 잠에 취해버리고 말았지. 며칠 동안 야간버스를 타고 이동한 후라 겹겹이 피로가 쌓인 모양이었어. 추위에 딱딱하게 굳어버린 누렇고 파란 플라스틱 의자 위에 기역 자로 누운 채 나는 서서히 잠이 들기 시작했어. 자면 안 되는데, 생각했지만 잠시도 잠들 수 없는 마음이 무거운 몸을 깨우지 못했던 거야. 곧 터미널 밖으로 펼쳐진 새까만 새벽이 내 두 눈 속으로 쏟아져 내려왔어. 까무룩.

누군가 나를 흔들어 깨우는 걸 느낀 건 얼마 지나지 않아서야.
눈을 뜨자마자 내 눈에 보인 건, 다름 아닌 초콜릿 브라운 곱슬머리 그 남자였어. 알아들을 수 없는 말로 내게 무엇인가를 계속 얘기하고 있었는데, 나는 기우뚱거리며 일어나 한참을 앉아서 그의 알 수 없는 이야기를 계속해서 듣기 시작했던 것 같아. 알 수 없는 불길한 주문 같은 말들. 눈과 귀를 닫고 얼마든지 잘 수 있었지만, 난 그러지 못했어. 전혀 알아들을 수 없는 이방의 언어가 가져다주는 두려움이란 눈을 감을 수 없을 정도로 무서운 것이었거든.

나는 그저 멀뚱하니 앉아 계속해서 그를 경계했어. 졸음은 쏟아져 내려오고 가슴은 무섭게 뛰기 시작하는 조금은 설명하기 애매한 상황이 되어버린 거야. 그런데 참 이상하지. 갑자기 그가 나에게 자기가 입고 있던 두터운 점퍼를 벗어 덮어주려 하기 시작했어. 놀랐어. 나는 자리에서 벌떡 일어나 두 손을 휘저으며 'No No No'라고 소리쳤어.
그의 흑심 없는 눈보다 내가 먼저 본 것은, 그의 때 묻은 배낭과 옷가지들과 흙이 묻은 낡은 신발이었던 거야. 점퍼를 건네던 두 손 가득한 보기 싫은 흉터들이었던 거야. 차가운 허공과 대화를 나누던 반쯤 정신이 나간 듯한 두 눈이었던 거야.

나의 속상한 거부에도 불구하고 그는 계속해서 나에게 점퍼를 받아들라고 말하는 것 같았어. 왜 저러는 걸까. 대가없는 친절을 믿지 않던 때였어. 주머니 속에 남은 몇 개의 동전을 만지작거리며 건네줄까 말까를 고민하던 나는 결국 그를 없는 사람처럼 여기기 시작했지.

점퍼를 든 채 무언가를 계속 말하던 그는 나의 싸늘한 반응에 결국 입을 닫아버렸어. 보지는 못했지만 한참동안 나를 안타까운 눈으로 바라보았던 것 같아. 그의 눈을 마주할 자신이 없어 똑바로 바라보지 못했지만, 아마 그랬던 것 같아. 무척 속상해 보였던 것도 같아.

그는 다시 짐을 싸고, 손목시계를 들여다본 뒤 터미널을 떠났어. 나는 그제야 마음을 놓고 주위를 둘러봤지. 그리고 얼마지 않아 건너편에 앉아 있던 백인 할아버지의 목소리를 들었어.

—네가 추워 보여서, 추운데 잠이 들까봐, 옷을 입으라고…… 그는 너를 걱정했어. 왜 그렇게 '노노노'를 외쳤던 거니?

할아버지의 서투른 영어에 나는 가슴이 내려앉는 것 같았어.

—그는, 친절한 사람일 뿐이야.

할아버지는 마지막 한마디를 던지고는 역시 짐을 챙겨 막 도착한 버스를 향해 자리를 뜨기 시작했어. 결국 그곳엔 친절한 타인의 조건 없는 성의를 거절한 못된 나만 남았지. 한참을 멍하니 앉아 있었어. 아무것도, 아무 생각도 할 수가 없었어. 눈물이 났어. 가슴이 아팠어.

나는, 경솔한 여행자였던 거야.

악의 없는 친절을 악의 가득한 색안경을 끼고 극구 거부했던 대가는 생각보다 많이 쓰고 커다란 것이었어. 그렇지 않아도 가난한 마음에, 깊고 오래갈 상처 하나가 남았어. 채우고 채워도 끝내 허기질 죄책감이 하나, 남았어.

RAPPEL

# 피

외로움에 기대는 피.
그 외로움이 보내는 서늘함에 안도하는 타고난 고독의 피.
슬픔을 기쁨처럼 피워내는 묘한 피.
타인의 쓸쓸함을 그냥 지나치지 못하는 필요 이상의 선량한 피.
오직 너 하나만을 위해 뜨거워지는 참 착한 피.
수많은 사람들 속 내 사람을 알아보는 마법 같은 피.

얼굴도 모르는 누군가를 위해 선뜻 덜어내도 아깝지 않은 건강한 피.
여행이라는 두 음절에 빠르게 움직이는 아직은 젊은 피.
돌아올 것을 계산하지 않고 먼저 주는 기쁨을 아는 똑똑한 피.
적당히 방황하고 돌아오는 길을 놓치지 않는 신선한 방랑기가 그득한 피.

글을 씀으로 매일 새로워지는 어쩔 수 없는 글쟁이의 피.
제자리걸음과 상처의 연속인 청춘의 시나리오를 즐겁게,
그러나 비겁하지 않게 연출해나가는 용감한 피.

각박한 현실을 눈치채는 순간,
모르는 척
그 현실에 슬쩍 눈감아버릴 줄 아는 긍정의 피.

침묵하는 것들 사이에서
오직 옳은 것을 따라 움직일 줄 아는 행동하는 피.
상처받을지라도
사람의 본질적 따뜻함을 믿는 인간적인 피.
가슴속에 영원히 자라나지 않는 소녀를 품고
살아갈 수 있는 천진하고 맑은 피.

나는 그런 피를 갖고 싶다.

FRUITS
HUILE OLIVES
Vente à la ferme
OUVERT

# 어떤 마음

그곳이 어디든 내 마음을 내어준 곳이 바로, 내 집이라는 생각.
그러니까 여행이란, 맘을 뺏긴 세상 여러 곳에 내 집을 짓고,
소리 없이 허물어지는 그것들의 뒷모습을 가만히 지켜보는 일일지도 모른다는 그런 생각이 들게 하는 곳이 있다.

그런 곳을 만나고 나면, 조금 오래 힘이 든다.

올리브의 도시.
프랑스 남부의 니옹Nyons.

길가에 자리 잡고 있는 작은 올리브 농가에 들어선다.
직접 올리브를 재배하고 올리브유를 추출하고, 자신들만의 예쁜 라벨을 붙여 판매하는 곳. 직접 재배했는지 모를 체리며 복숭아 같은 과일과 상추며 알이 작은 감자 같은 것들도 곁들여져 팔고 있는 시골의 작은 채소 가게 같은 느낌을 주는 곳.

소심하게 두리번거리는 내게 누군가 인사를 건넨다.
무언가 나의 발끝을 붙들어 매는 건 매번 한순간.
내 마음 줄을 이끌어버리는 것도 한순간.

마음씨 좋게 생긴 아저씨 한 분이 멀리 서 있다. 웃음으로 답하자, 올리브? 하고 묻는다. 고개를 끄덕이자 사람 좋아 보이는 웃음을 짓더니, 이리 와 보라는 손짓을 한다. 그가 데려간 곳은 고소한 냄새가 나는 작은 창고. 구석에는 커다란 기계들이 놓여 있고, 한쪽에서는 누군가 노란빛의 올리브유가 담긴 유리병에 라벨을 붙이고 있다. 아, 햇살과 섞인 저 아름다운 황금빛깔.

설명을 듣자하니, 이곳은 올리브유를 짜내는 작은 공장이란다. 짧은 영어와 불어가 섞인 아저씨의 설명으로, 나는 올리브에도 품종이 있다는 사실과 수확 시기에 따라 올리브유의 종류가 달라진다는 것을, 각각의 향기와 맛에 특징이 있어 어울리는 요리가 조금씩 달라진다는 것을 배운다. 기름을 추출하고 남은 올리브 열매 찌꺼기는 빵에 발라먹는 스프레드의 종류인 타프나드tapenade를 만드는 데 쓴다는 사실까지도. 이곳에 라벨을 붙이고 있는 이는 아저씨의 안주인. 저기 매장에서 올리브유를 팔고 있는 아가씨는 큰딸. 아들은 농장에 있고, 자신은 기계를 청소하고 있던 참이었다며 그는 웃는다.

올리브 가족. 눈을 마주쳐 바라본 그들의 얼굴에는 프랑스 남부의 희고 따뜻한 해가 떠 있었다. 윤이 나는 갈색빛의 열매처럼, 건강하고 탄탄한 아름다움이 있는 얼굴들이다.
덕분에 올리브에 관한 이것저것을 배우고, 매장으로 돌아온다. 그런데 무엇을 살까, 아무리 생각해도 들고 갈 수 있는 것들이 없다. 올리브유들은 모두 커다란 유리병에 담겨 있기에 그 무게가 만만치 않기 때문. 나는 여행자. 그 무게를 이끌고 언제 끝날지도 모를 여행을 할 수는 없다. 유리용기라 아쉽다는 말만 뱉어내며 좀처럼 자리를 뜨지 못하고, 올리브유 병들을 들었다 놓았다 종종거리고만 있는 내 모습에 그들 역시 안타까워했다.

그런데 한 오 분쯤 지났을까. 어디론가 사라졌던  아저씨가 한 손에 작은 양철통을 들고 나타난다. 그리고는 활짝 웃으며 내게 그걸 건네준다. 얼떨결에 받고 들여다보니 예쁜 라벨까지 붙여 만든 올리브유 통이다.

—이곳에서는 팔지 않는 용량인데, 너를 위해 처음으로 만들었어. 비행기에서도 안전할 거야. 한국까지 잘 가져가서 맛있게 먹기를!

가족들은 모두 모여 좋아했다. 어쩌면 올리브유를 살 수 있게 된 나보다 더.

그렇게 나는 그 올리브유 농장의 첫 스페셜 제품의 구매자가 되었다. 오로지 나를 위해 만들어진 선물. 하나밖에 없는 고마운 마음. 그들은 처음 본 나를 위해. 아마 다시 올 수도 없을 것 같은 나를 위해 그런 수고를 고민 없이 해주었다.

몇 번이고 인사를 하고, 손을 흔들고 돌아나오는데 뭉클해진 가슴에서 여지없이 또 이런 생각이 든다.

그냥 이곳에 눌러살면 어떨까, 하는.

이렇게 바람도 좋은데. 예쁜 올리브 나무들이 있는데. 작고 생기 있는 올리브 열매를 닮은 선량한 사람들이 있는데. 아, 정말, 이곳에서 내 삶의 한 조각 뚝 떼어내 살아보면 안 될까. 정말, 그래도 되지 않을까, 하는.

순간, 감동이란 이름으로 착착 쌓아올린 집 한 채가 가슴 안에 들어선다. 아마 당분간은 수시로 드나들며 좀처럼 떠나지 못할 그런, 고맙고 착한 집이다.

# 나를 기억해주기

살면서 나를 가장 사랑해주는 것, 나를 기억해주는 것.
어쩌면 그건 참 어려운 일일지도 모른다는 생각을 한다.

가장 쉬우면서 가장 어려운 일.
할 수 있다는 걸 알면서 좀처럼 할 수 없는 일.

좋아하는 친구의 집에 놀러갔는데, 앨범 하나를 보여준다.
뭐냐고 묻자 일단 펴보란다.
호기심을 가지고, 이 여자가 연락 없던 사이 연애라도 시작했나, 하며
앨범을 열었다.

어라? 낯이 익다.
우리가 처음 만났던 이십대의 초반,
그 싱그러운 얼굴에서부터 출발해 서른이 넘은 오늘날까지.
앳되고 귀여운 그녀의 얼굴이 앨범의 면면을 빼곡하게 채우고 있다.

무언가 가슴이 찡한 것이 괜히 눈물 날 것 같은 따뜻한 느낌.

—야, 너무 좋다.

나는 그 한마디를 하고도, 오랫동안 그 앨범에서 눈을 뗄 수 없었다.
그녀의 서른 한 해 치 뒷모습이 그 안에 모두 살아 있었다.

집으로 돌아와 한동안 그 앨범 생각을 했다.
나의 기억이란, 내가 아닌 누군가의 가슴속에 머무를 때
더 행복한 것이라고만 생각했었다.
지금까지의 나는, 그랬다.
내가 나를 기억하지 않아도, 네가 나를 기억해주면 되지.
그래서 네가 나를 기억해주지 않는다고 느껴질 때면
울컥 화가 나기도, 서글퍼지기도 했다.

하지만 사랑은, 얼마나 자주 우리에게서 뒤돌아서는가.

감정의 용량이란 시간과 함께 줄어가기에,
내가 갖고 있지 않는 한,
누군가에게 나의 기억을 버리지 말라고 당부할 수도 없다.
그러니 내가 기억하는 수밖에.

내가 나의 시간들을 끌어안고 있는 수밖에.
사진을 모은다.
필름으로 찍어둔 사진부터, 미니홈피에 올려놓은 사진들까지.
열여덟의 나부터 서른하나의 나까지.
한 장 한 장 되새겨 볼 때마다 그때의 시간과 느낌이
고스란히 되살아난다.

나를 찍어주던 누군가의 표정과 그의 머리 위로 불던 바람 한 점까지.
그래, 그랬었지. 그때 나는 그곳에 있었고,
너와 또 다른 너와 나는 그런 시간들을 만들었었지.
오래전의 내 모습은 마치 낯익은 남 같기도 하다.

나른한 일요일 오후,
거실에 홀로 앉아 인화해온 사진들을 죽 늘어놓아본다.
참 예쁘구나. 어렸구나.
나는 지금도 이렇게 보이지 않는 시간을 살고 있구나.
사진 속의 나와 눈을 맞춘다.
어떤 한 '시절' 속의 나를 오롯이 바라보는 일.
그 일이 이토록 먹먹하고 벅찬 일인지 비로소 알게 되는 순간이다.

새로 사둔 앨범을 펼치고 사진을 한 장 한 장 끼워넣는 사이
오후 한나절이 지나간다.
그렇게 한 장 한 장이 쌓여갈수록
생의 한 부분을 저축해놓고 있다는 생각이 들어 마음이 든든하다.
조금 열어둔 창문 사이로 들리는 바람 소리.

언젠가, 아무도 내 이름을 불러주지 않는 날이 오면
때때로 그 누구에게도 인정받지 못한다고 느낄 때면
불현듯 나의 지난 생이
송두리째 날아가버렸다는 생각에 아찔해질 때면
나, 라는 그 한 글자로 온밤을 지새우게 될 때면
사랑하는 사람에게 나의 서른한 해 삶을 말로 다 할 수 없을 때가 오면

이 앨범을 펼쳐봐야지.
그리고 나의 생을 하나하나 쓰다듬어주어야지.
꼬박꼬박 기억해두고 잊지 말아야지.

그렇게 나를, 기억해야지.

잊지 말자.
나는, 내가 알고 있는, 가장 찬란하고 아름다운 사진 한 장.

# 폭죽 같은, 팝콘 같은

어느 시대에나 노래를 할 줄 아는 멋쟁이들은 나타난다.
노래란 무엇인가를 놓고 기꺼이 철학할 수 있는 천재들도 나타난다.

폭죽처럼 팝콘처럼 그들은 나타나고, 터트리고, 노래한다.
내가 세상으로 나오기 전에도 그랬듯이
나의 생이 다 끝난 후에도, 분명 그럴 것이다.

예술이, 노래가, 다 끝났다고 단언하지 말자.
내가 머물렀던 시대 속에만 진심이 있었다고 믿는 건,
내가 기억하는 그때만이 '진짜'라고 생각하는 건
너무 큰 오만이 아닌가.

## Part 2

# 오후 비

# Gentle Rain

말이 될 수 없는
세상의 모든 아름다움들이
그때, 그곳에 있었다

## 잃어버린 것들

요즘은 잃어버린 것들을 생각하며 산다네.

요컨대
텅 빈 주머니 속에서 만져지는 공허함이나,
먼저 하늘로 간 아내,
며칠 전에 죽은 개 키치,
40년간 많은 사람들이 오고 갔지만 결국엔 혼자 남은 집,
혼자뿐인 식탁.
건전지를 갈아 끼워도 움직이지 않는 벽시계.
기쁘지도 슬프지도 않은 마음.

물론 이제 이런 것들이 속상하지는 않다네.
단지 묵묵히 그것들과 마주할 수 있지.
두려움도 없고, 막막함도 없다네.
나이를 먹는다는 건, 소유와 상실에 무덤덤해지는 일이니까.

간단히 도시락을 싸가지고 나와 공원에서 한나절을 보낸 후,
저녁 종이 울릴 때까지 나는 이 성당에 앉아 있어.
나의 텅 빈 삶 곳곳이 이곳에 오면 괜찮은 것으로 느껴진다네.
더욱더 아무것도 남지 않아야,
가볍게 떠날 수 있을 거란 생각을 진지하게 하게 되네.
저기, 저분이 나에게 그렇게 말해주네.

하지만 말이야.
자네는 무얼 잃어버릴 생각 같은 건 부디 하지 말게.
잃는다는 것은, 모든 것이 완전히 사라진 후
어느 날 우연히 텅 빈 그 공간을 만져보는 순간이라네.
그 순간의 안도, 그 순간의 평온함.

그러니까 인생이란,
가지고 싶은 것들을 생각하는 사이
모든 걸 잃어버리는 시간이 아닐까 하는 거네.
내 것이 아닌 것들이 원래의 자리로 돌아가는 데 걸리는 시간 말일세.
결국 그렇게 되네. 그것이 삶이네.

그러니 자네,
젊을 때는 젊어서 할 수 있는 일을 하게.

자연스럽게, 아주 자연스럽게 말이야.
잃어버릴 것들을 걱정하지 말고,
아직은 가지고 싶은 것들을 생각해야 하네.
사랑, 믿음, 상처.
우울과 불안.
도전, 실패.
떠남과 돌아옴.
시와 노래.
그런 것들은 많이 가질수록 좋네.
잃을 것이 많은 사람일수록, 풍요로운 추억을 가지네.
알겠나?

삶이 아직도 아름다운 것은,
아직 내가 무언가 할 수 있다는 믿음이 있기 때문일세.
무언가를 더 가지고 싶다는 아름다운 열망이 있기 때문일세.

아직은 다, 나의 것이 될 수 있다고 믿을 수 있는
그런 열정이 있기 때문일세.

# 엄마의 노래

엄마가 노래를 한다.
오후 네 시쯤의 햇살이 작은 부엌 창 틈새를 비춘다.
커다란 고무대야 속으로 사각사각 뽀얀 무가 썰린다.
딸각딸각 무 썰리는 소리에 맞추어 노래에 리듬이 실린다.
가느다랗게 들릴 듯 말 듯 계속되는 엄마의 노랫소리.
나는 자는 척 그 모습을 훔쳐본다.

아무도 보지 않을 때, 우리 엄마는 어떤 표정을 짓고 있나.
아무도 없을 때, 우리 엄마는 혼자 무엇을 하나.

다시, 오후 다섯 시쯤의 햇살이 거실 틈을 붉게 물들이기 시작한다.
뚝딱 깍두기를 담가놓고 엄마는 멍하니 텔레비전 앞에 앉는다.
이리저리 채널을 돌리다 여행 채널에 시선이 멈춘다.
뉴질랜드.
언젠가 엄마는 스위스나 뉴질랜드의 드넓은 초원을 보면

이유 없이 눈물이 난다고 고백한 적이 있다.
그 눈물의 근원을 이해하기 위해선
나도 우리 엄마만큼의 나이를 살아야 하겠지.
드넓은 초원을 따라 움직이는 엄마의 시선.
그때 엄마의 눈은 순하디순한 초식동물의 눈이다.

한참 넋을 잃고 텔레비전을 바라보던 엄마의 시선이 화장대를 향한다.
먼지 쌓인 그녀의 화장대 위에 오래된 립스틱과
언제 샀는지 알 수도 없는 로션들이 그녀만큼 얌전히 앉아 있다.
엄마는 성경책과 묵주를 챙겨든다.
기도를 해야 하는 시간이다.

나는 계속 눈을 감고 엄마의 기도 소리를 듣는다.
예전에도 그리고 지금도,
엄마는 여전히 자신의 안녕은 기도하지 않는다.
어느덧 해는 지고 어둠이 슬며시 내려앉은 시간
나는 잠에 빠져들 듯 말 듯 엄마의 기도 소리를 듣는다.

이슥고 낡고 늘어난 속옷과 고목처럼 마른 손과, 힘없는 머리카락,
해가 바뀌어도 좀처럼 바뀌지 않는 외출복 같은 것들을 떠올린다.
오도카니 앉은 저 커다란 외로움.

서른에 아이 둘을 낳고,
서른넷에 쉬지 않고 밀대를 밀어 만든 국수로
3층 건물을 올리던 여장부는 어디로 간 걸까.

저기, 오후 다섯 시쯤의 햇살 사이로
자그맣고 힘없는 소녀 하나가 앉아 있다.

차마 안아줄 수도 없는
절벽처럼  마르고 가파른 등을 가진 우리 엄마가, 있다.

삶이 두려울 때나 막막함에 다 포기하고 싶을 때마다
나는 덩그러니 홀로 앉은 엄마의 가파른 뒷모습을 생각한다.

# 우리는 어쩌면

너는 어쩌면 조용한 대양 아래서 노래를 부르며
흘러다니던 커다란 혹등고래였을지도 몰라.
너는 늘 유유히 흐르며 노래했고,
나는 그런 네 노래가 좋아 지구의 곳곳을
그렇게 너를 따라 헤엄쳤는지도 몰라.

너는 어쩌면 보이지 않게 핀 들꽃이었는지도 몰라.
너는 내 눈에 너무 아름다웠고,
나는 그런 네가 지지 않게 하려고 열심을 다해
네 위로 떨어지던 빗방울이었는지도 몰라.

너는 어쩌면 오래된 책 한 권이었는지 몰라.
창을 열고 밤을 새워 시를 쓰는,
눈이 맑은 청년의 책상 위에 펼쳐져 있던 작고 오래된 책.
나는 그런 너를 엿보려고,

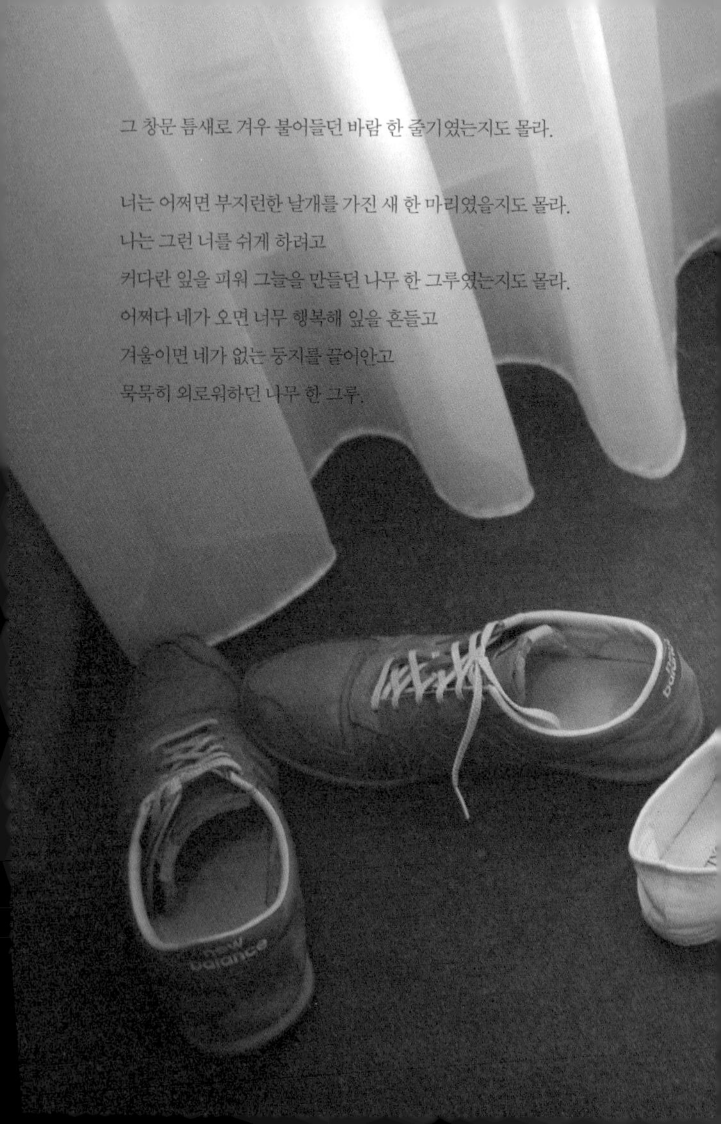


그 창문 틈새로 겨우 불어들던 바람 한 줄기였는지도 몰라.

너는 어쩌면 부지런한 날개를 가진 새 한 마리였을지도 몰라.
나는 그런 너를 쉬게 하려고
커다란 잎을 피워 그늘을 만들던 나무 한 그루였는지도 몰라.
어쩌다 네가 오면 너무 행복해 잎을 흔들고
겨울이면 네가 없는 둥지를 끌어안고
묵묵히 외로워하던 나무 한 그루.

너는 어쩌면 작고 하얀 조가비였을지도 몰라.
나는 새하얗게 빛나는 네가 좋아
자꾸만 너를 보려고 네게로 밀려가던 파도였는지도 몰라.

그래, 우리는 어쩌면
그렇게 수많은 그리움을 안고 살다,
결국 이렇게 마주 보고 앉아 있는 건지도 몰라.

## Love is just··· Love

우리,

봄이 오면 함께 새 꽃을 심고,

여름이 오면 하얀 바다에 뛰어들었지.

가을이 되면 그 서늘한 아침 공기를

몇 시간이고 함께 마시며 앉아 있었고,

겨울엔 배낭을 메고 눈이 가득 쌓인 산을 오르기도 했어.

보고 싶을 때면 언제든 달려나갔고,

나보다 상대방이 아플 때 더욱더 잠들 수 없었지.

어쩌다 맛있는 음식을 혼자 먹을 때면 괜히 마음에 걸리기도 하고,

좋아한다는 것을 사주기 위해 몇 달 동안 꼼짝없이

돈을 모으기도 했어.

같은 포크로 음식을 찍어 먹고

같은 잔을 나누어 술을 마시기도 하지.

휴일엔 서로의 머리를 감겨주고 손톱 발톱을 깎아주며
미래에 대해 나긋나긋 이야기를 나누기도 해.
좋아하는 음악을 들으며 발코니에 머리를 내밀고 앉아
별을 보는 일을 좋아하고,
괜찮은 척 혼자 여행을 보내주곤 불안해서
전화기를 든 채 밤을 새우기도 해.

함께 수영을 배웠고,
열두 곳의 나라를 여행했고,
같이 누워 헌혈을 해보았고,
이사할 집을 찾기 위해 몇 주간 발이 아프도록 돌아다니기도 했지.
서로의 옷을 서슴없이 걸쳐 입고 입을 맞추고,
미울 땐 거침없이 욕을 내뱉고 싸우면서도
가슴이 아파 금세 누그러지기도 해.
이젠 구할 수 없는 CD들을 사기 위해 먼 길을 걸으며
기뻐하기도 하고,
빵이 나오는 시간을 기다리며 몇 시간을 단골 제과점 앞에 앉아
수다를 떨기도 하지.
서로의 가족을 내 가족처럼 사랑하고,
먼 훗날 함께 살게 될 곳을 위해 같이 저축하는 기쁨을 알기도 하지.

그래 우리,

매일 밤 서로가 변하지 않기를 기도하고,

보이지 않는 미래에 골머리를 앓기도 하면서 살아가는 우리.

서로의 체온에 의지해 차갑게 식은 나를 덥히며 살아가는 우리.

이 세계의 끝에 다다르는 그날까지 함께 서 있기를 바라는 우리.

그러니 이제 말해봐

이런 우리의 사랑이 너의 사랑과 무엇이 다른지.

Bienvenue à
Porquerolles
RS POMPIERS

# 단 한 번의 아침

휴식, 이라는 말이 떠오를 때마다 각자의 배를 이끌고
찾아온다는 곳.
섬을 품어 도는 작은 산이 있고,
요란하지 않은 식당들과 바다를 닮은 맑은 아이들이 뛰어노는 곳.

밤이면 저음이 멋진 여가수와 늙은 반도네온 연주자가
축배를 들며 선창하는 음악회가 열리고,
사람들은 손과 손에 술잔을 들고 춤을 추며 시간을 보내는 곳.
너의 나라, 나의 나라 같은 건 상관없는,
눈을 마주치면 그뿐이고, 함께 웃으면 그뿐이고,
함께 행복하면 그뿐인 시간만이 흐르는 곳.

그곳은 프랑스의 남쪽 바다
아름다운 섬 포르크롤L'île de Porquerolles

새벽이 다 갈 때까지 도란도란 들려오는 이국의 언어들,
달달한 기타 소리와 노랫소리.
나는 며칠 밤을 그 열기에 쉽사리 잠들지 못했지만,
그 밤의 색깔에 익숙해진 뒤로는 열기를 자장가 삼아 잠들곤 했다.

하지만 무엇보다 나를 오래도록 행복하게 만든 기억은,
매일 새벽 나를 깨운 파도 소리.
그 소리는 세상의 모든 시간이 다 내게로 떠밀려오듯
깊은 상념에 빠져들게 하기에 충분할 만큼 쓸쓸하고
아름다운 소리였다.
그렇게 매일 아침, 나는 눈을 뜨고도 그 소리에 덮인 마음이 포근해
한참을 움직이지 않았다.

철썩 철썩~ 뱃전을 때리는 파도 소리가 들려올 때면,

어쩌면 이 섬을 찾는 모든 이들이
이 소리가 좋아 이곳을 찾는 건 아닌지,
물 위에 둥둥 떠 아무 생각 없이 유영하던 태초의 기억을
어렴풋이 찾으러 이곳에 오는 건 아닌지 하는 생각이 들어
가만히 웅크려 내가 나를 품곤 했다.

그렇게 무릎을 끌어안고 "참 좋다"는 말보다 더 좋은 말이 뭐 없을까,
새벽마다 생각하고 또 생각했다.

서른한 살의 여름.
프랑스 남부의 작은 천국 포르크롤 섬.
요트 천장에 달린 창문 위로 맺힌 새벽의 빗방울,
귓가에 들려오는 파도 소리,
그리고 끝없이 이어지는 지중해의 푸른 이야기 소리.
살며 만날 수 있는 단 한 번의 아침을 나는 그곳에서 만났다.

말이 될 수 없는
세상의 모든 아름다움들이 그때, 그곳에 있었다.

## when I

귀밑을 간질이던 머리칼이 어깨 밑에서 흔들거릴 때
며칠 전 자른 손톱에서 어느새 하얀 반달이 또 떠오를 때
올해의 마지막 달력을 넘겨야 할 때가 올 때
따뜻했던 커피가 식어갈 때

좋아하던 노래가 더 이상 가슴 안에 와 닿지 않을 때
축축했던 빨래가 말라가는 걸 볼 때
낙엽이 지고 겨울이 올 때
천천히 밝아오는 여명 속에 혼자 앉아 있을 때

불과 며칠 전 일들이 좀처럼 떠오르지 않을 때
여행지에서의 불편함이 스리슬쩍 생활이 되어 있을 때
그때의 기억 앞에서 좀처럼 눈물이 나지 않을 때
참 나쁘다고 생각했던 영화 속 여자 주인공의 입장이
아무렇지 않게 이해될 때

덤덤하게 내 나이를 꼽아볼 때
설레고 두근대는 마음을 선불리 사랑이라 부르지 않을 때
지울 수 없는 그 상처 역시, 나의 한 부분이란 생각이 들 때
너의 얼굴이 잘 생각나지 않을 때

좀처럼 놓을 수 없던 일들을 편안하게 포기할 수 있을 때
집착이라는 단어가 생경해진 나를 볼 때

나,
아픈 것은 여전히 아프고
슬픈 것은 여전히 슬프지만,
그렇게 변한 너도 생각보다 나쁜 사람은 아닐지도 모른다는
생각이 들어.

결국, 변한다는 건 모든 것들에게 다 자연스러운 일은 아닐까, 하는
그런 생각이 들어.

## 네가 내리는 날

어느 곳을 돌아온 물인가.
어느 바람을 품고 왔나.
누군가의 곁에 머무르던 슬픔인가.

빗방울에도 냄새가 있다.
가만히 공기에 코를 대고 눈을 감으면 빗방울이 흘러온 길이 보인다.

산기슭을 타고 흐르는 활기찬 물줄기,
물고기의 푸른 유영,
무너져내리는 빙하의 서글픈 울림,
끝없이 이어지는 스콜,
생성과 소멸을 반복하는 거대한 대양 위의 태풍,
생명을 품어주고 있는 따뜻한 양수의 움직임,
세상 곳곳에서 떨어지는 수천 개의 눈물방울,
그것들의 소리 없는 증발.

끝이 없는 이야기를 품고 있는 저 한 방울, 한 방울.
그것들에게 아무것도 들어 있지 않은 깨끗한 마음을 내어줄
시간이 필요하다.
그것들의 수고로운 여정에 귀를 기울여줄 시간이 필요하다.

그러니 우리
비가 오면 창을 열자.

그리고 부디, 아무 일도 하지 말자.

# 소녀의 집

기찻길 위로 새로 놓인 육교가 보인다. 기차가 지나갈 때면, 가던 길을 멈추고 까치발을 딛고 기어코 기차가 작은 점이 될 때까지 바라보던 곳이다. 나는 저 육교를, 아니 저 새 육교가 생기기 전의 허름했던 육교 위를 아주 오랫동안 지나다녔다. 때로는 무거운 책가방을 메고, 집에 들어가기 싫어 두서너 번을 하릴없이 오가며 시간을 벌기도 하면서. 저 육교 위에 뿌려둔 어떤 감정의 실체들. 사람들은 여전히 그 위를 오가며 삶을 살고 있다. 육교를 건너 다른 삶을 살고, 다시 자신의 삶이 있는 곳으로 되돌아온다.

육교에 발을 디디려는 순간, 어린 시절의 내 모습이 한꺼번에 몰려든다. 갑작스레 건네받은 무거운 짐 같은 기억들. 나는 육교를 오르지 못하고, 그저 밑에서 위를 올려다본다.

저녁이 어슴푸레 내릴 때쯤 켜지던 기차역의 하얀 가로등. 나는 육교 위에서 그 가로등 불빛을 맞으며 텅 빈 기차역을 바라보는 일을 좋아했다. 저기, 육교를 건너면 보이는, 이제는 낡아버린 아파트를 본다. 내 고향의 두 번째 집. 저 공간에서 벌어지던 수많은 이야기들. 어느덧 낡아버린 아파트처럼, 그 기억들은 이제야 비로소 조금씩 대면할 수 있을 만큼 아프다. 나는 그곳엔 가지 않기로 한다. 육교를 오를 수 없어서 그렇다고 생각하기로 한다.

나는 그저 모르는 풍경을 바라보듯이 육교 아래에서 내가 살던 아파트를 건너다본다. 다시는 보지 않으리라 생각했던 풍경 앞에, 나는 화해하듯 먼저 서 있다. 나는 아주 오랜만에 오래전 떠나온 고향에 와 있다. 근 이 년 만의 일이다. 주머니에 손을 찔러넣고 방향이 가는 대로 걷는다. 이 도시는 그때도 작았지만 지금도 여전히 작다. 많은 곳이 사라지고, 새로운 것들이 지어졌지만, 허름하고 생기 없는 느낌은 변하지 않았다. 아주 어릴 때에는 너무나 커다랗던 곳. 나는 가장 먼저 기차역을 찾았다. 가끔 서울로 가는 기차를 타기 위해 서성이던 기차역은 새롭게 리모델링되었고, 그 앞에 고무대야를 놓고 장사하던 할머니들은 모두 어디론가 사라진 후다. 살풍경한 세련됨. 도무지 오래 바라볼 수 없는 삭막함.

떠났지만, 결국에는 되돌아오고 만다는 사실에 자주 절망했던 시절, 서울을 떠나 다시 도착한 역 앞의 텅 빈 새벽의 공허를 기억한다. 그때 아무도 없는 이 작은 도시의 새벽은 작은 방처럼 좁고 답답했다.

나는 그 방문을 열고 들어가듯, 역을 빠져나와 집으로 향하곤 했다. 그때 지루한 사방무늬 벽지처럼 놓여 있던 오래된 도시의 건물들. 새벽의 역 주변 풍경은 내게 많은 느낌들을 환기시킨다. 조금씩 잊고 있던 어떤 느낌들. 그때는 그토록 하찮고 그래서 괴로웠던 느낌들.

갑자기 고향으로 내려가는 버스를 탄 것은 이번이 처음은 아니다. 못 견디게 어디로든 떠나고 싶을 때, 그리운 것들의 실체가 좀처럼 보이지 않을 때, 어떤 커다란 결과를 직면했을 때, 나는 종종 버스를 탔다. 고작해야 서울에서 한 시간 반 거리고, 버스 값은 예전보다 2천 원가량 밖에 오르지 않았지만, 그 사이 나는 얼마나 많이 변했는지. 변하지 않은 무엇에 기대고 싶을 때마다 나는 고향을 찾았고, 찾을 때마다 후회했고, 또 안심하곤 했다. 슬쩍 갔다와도 티가 나지 않는 나의 고향. 조금 먼 서울을 다녀온 만큼의 거리와 시간이 필요한 곳. 나는, 단지 무언가 위로받고 싶어서 이곳을 찾지 않는다. 다만 어떤 온전한 고통의 모습들 혹은 온전한 행복의 모습들과 정면으로 대면하고 싶을 때 이곳으로 온다. 와서, 내가 두고 온 기억들과 마주한다. 그러고 나면 시원스럽게 울게 되는데, 나는 그러면서 스스로를 치유하며 살아왔는지 모른다. 이렇게 무뎌지는 건지 화해하는 건지 알 수 없는 과정을 거치는 동안 나는 서른둘이 되었다. 그리고 나는, 나의 서른둘 앞에 변함없이 '무사히'라는 말을 덧붙인다. 나는 정말이지 무사히, 서른둘이 된 것이다.

어느덧 오후. 언니가 다니던 초등학교에 간다. 일곱 살, 나는 그곳에 소속된 유치원에 다녔다. 그 초등학교의 운동장 한가운데는 아버지의 이름이 새겨진 단상이 서 있다. 아버지의 이름으로 기부된 단상. 그 단상 위에서 언니는 상을 받고, 교장선생님의 긴긴 조회 연설을 견디며 자랐고, 나는 매일을 바람에 휩쓸리며 자라는 꽃대처럼 하루하루 컸다. "여기, 우리 아빠 이름이 있어." 친구들에게 자랑하고, 가끔 옷소매로 그 이름을 닦아주기도 하면서. 언니가 초등학교를 다니고, 내가 유치원을 다니던 그 시절. 아버지의 이름이 새겨진 단상을 오가며 뭔지 모를 뿌듯함을 느끼곤 했던 그 시절. 그때는 내가 고향을 기억할 때면 유일하게 행복이란 말을 붙일 수 있던 시기다. 그 행복의 기억들을 마주하고 싶을 때면, 나는 언니와 내가 다니던 학교를 찾아 운동장을 돌고, 그네를 타고, 아이스크림 하나를 사 먹고는 돌아오곤 한다. 추억이 가진 느낌이란, 정말로 영원한 것인지 지나간 시기의 어떤 한 장면을 떠올리면 그때의 느낌이 고스란히 가슴에서 되살아난다. 나는 일곱 살, 그때 이 학교의 운동장에서 만들어낸 여러 풍경들을 떠올릴 때마다 너무 행복해서 울곤 한다. 그 울음은 너무 솔직하기 때문에 부끄럽지 않아 닦아내지도 않는 울음이다.

학교를 빠져나와 이제는 내게 작게만 느껴지는 동네 구석구석을 누빈다. 가끔 아는 얼굴들을 마주치지만, 그들이 긴가민가 하는 사이 나는 모르는 사람처럼 그 앞을 스쳐 지나간다. 나는 내가 보고 싶은 것만을 만나고 싶다. 이제는 사라진 목욕탕. 오후 다섯 시가 되면 애국가와 함께 태극기가 올라가던 국기 게양대. 짓궂은 할아버지들이 모여 있던 노인정 옆 놀이터. 엄마와 아빠의 친구들이 경영하던 수많은 음식점과 상점들 모두 대부분은 사라지고 없다. 하지만 나는 그것들의 모습을 본다. 기억을 가진 자만이 볼 수 있는 어떤 풍경.

한때, 이 도시의 주민으로 살아 있던 나는 무수히 기도했었다.
부디, 이곳이 내가 영원히 써야 할 주소가 되지 않기를. 가족 모두가 고향을 떠나오면서 나는 한편 안도했는지도 모른다. 아는 사람 하나 없는 곳에서, 아무도 모르는 채로 새롭게 살고 싶던 내 소망이 어찌 되었든 이루어졌다는 생각에서였다. 새로운 도시에 정착해, 새로운 주소를 쓰며 나는 그곳 사람인 척 살아왔지만, 때때로 불쑥 떠도는 이의 심정이 되어 괴로웠다. 어쩔 수 없는 도심의 유목을 하고 있지만, 새롭고 푸른 광활한 벌판에 새 집을 하나 지을 때마다 가슴속에 고향이라는 말이 갖는 아픔은 더 깊어졌다. 내가 이렇게 떠돌고 있을 때, 그곳은 나를 위해 무엇을 하고 있나 하는 막연한 의구심, 원망 같은 느낌들……. 나는 그 방치된 것 같은 기분이, 힘들었다.

해 질 녘이 되면 어릴 적 둑방이라 부르던 작은 실개천을 따라 걷는 일을 좋아한다. 서울에서는 좀처럼 갖기 힘든 시간. 어린 시절, 이곳은 민물가재나 민물조개들이 잡히곤 했는데, 이제는 콘크리트로 여기저기를 정비해두어 살풍경하다. 내가 뛰어놀던 모래밭이 저기 어디쯤일 텐데…… 이제, 아무것도 보이지 않는다. 구불구불한 모양을 잃고 일자로 정비된 실개천. 기억은 자꾸 이곳저곳을 헛짚으며 나를 멈추게 한다. 시계도 없고 핸드폰도 없던 시절. 그때의 사람들은 해의 기울기에 의지해 집을 나가고 들어왔다. 해가 기울어질 때마다 내 마음도 기울어져, 집에 가기 싫은 마음에도, 꼭 가고 싶은 마음에도 발이 잘 떨어지지 않았다. 이 둑방길. 그 기울어진 마음을 안고 터벅터벅 걷던 길. 그러다 해가 더 떨어지면 덥석 겁이 나 걸음을 재촉하던 그 길.

나는 소녀의 마음으로 걷는다. 코끝을 스치는 비린 민물의 냄새와 밤의 향기. 집으로 돌아가면, 엄마가 아직 가게에서 돌아오지 않았겠지. 언니는 집에 있을까, 또 아빠는? 저녁은 또 혼자 먹어야 하나. 가게에 들러 몰래 엄마를 훔쳐보고 집에 들어가면 조금 덜 우울할 것 같은데. 그러면 혼나겠지. 어느덧 소녀는 빠르게 걷고 있다. 헤드라이트를 낮게 켠 차들이 한적한 도로를 느릿느릿 지나가고, 도착한 동네 가게의 간판들에는 이미 불이 켜져 동네가 환하다. 저 하얗고 푸르고 붉은 불빛들에 내 그림자가 가려질 때마다 나는 나를 잃는 기분이 든다.

한 걸음 한 걸음……

저기, 붉은 벽돌 삼층 건물.
우리 집이 보인다.

소녀는 계단을 두 개씩 올라가 삼층에 있는 집에 들어선다. 다행히, 거실에 불이 환하게 켜져 있다. 국이 끓는 냄새. 새하얀 밥이 지어지는 냄새. 침이 고인다. 더러워진 손발을 힐끗 쳐다보고는 이내 문을 활짝 연다. '저 왔어요'.

나는 걸음을 멈춰 선다. 아직도 그 자리에 잘 서 있는 우리 집.
아니, 이제는 남의 집이다. 그래도 아직 '우리 집'이라고 부르고 싶은 집. 나는 저 집을 보고 싶지 않아 이 도시를 떠나왔지만, 결국 저 집이 잘 있는가를 확인하러 이렇게 다시 이곳을 찾고 있는지도 모른다. 엄마가 만든 밥이 익어지고, 가족들이 각자의 자리에서 일을 하다가 결국 다시 모여 잠을 자고, 울고 웃고, 밀어내고 끌어당기며 체온을 나누던 장소. 어떻게 변해 있을지는 모르나, 나는 저 안의 구석구석을 모두 알고 있다. 방이 자리하고 있는 곳, 해가 들던 창문의 위치와 바람이 불어들어오는 시간, 나팔꽃이 고개를 드는 방향과 장소. 외할머니가 주신 토끼를 키우던 그늘과 슬플 때마다 몰래 숨어들어 울곤 했던 작은 창고. 깨진 유리병조각을 이어 붙여 담을 쳐놓은 옥상, 그 한가운데 자리한 커다란 물탱크와 그 위에 올라가 내려다보던 아찔했던 우리 동네. 그리고 행복했던 우리 가족. 처음 저 건물을 올리며 들뜨고 분주했던 엄마 아빠의 모습과, 공주님처럼 새하얀 드레스를 입고 이리저리 뛰어다니던 어린 나. 코끝에 걸린 안경을 자꾸만 밀어올리던 언니.

한참 지난 그 시간은 떠오르는데, 그 집을 떠나오던 순간은 기억나지 않는다. 아마도, 너무나 많은 것들을 떠안고 돌아왔던 곳이기에 그 순간만큼은 부러 내 몸이 내 가슴이 먼저 잊어낸 것이리라.

툭, 나는 운다. 오래전 떠나온 고향집 앞에서. 잡히지 않는 추억의 느낌이 너무나 선명해서, 그 선명함이 괴로워서, 또 그 괴로움을 잘 알면서 부러 찾아오지 않고는 견딜 수 없는 순간이 존재함을 인정하기가 싫어서. 누가 볼 새라 재빨리 눈물을 훔쳐낸다. 그렇게 붉어진 눈시울을 매만지며 나는 아직 그곳에 잘 서 있는 우리 집에게 안부를 건넨다. 떠나온 것은 우리 모두의 의지가 아니었다고. 이 집을 떠난 뒤로 한 순간도 편안하지 않았다고. 아직 나는 '우리 집'이란 말을 쓰는 게 조금은 어렵다고. 이곳을 떠난 뒤로 늘 그렇다고. 그렇게 한 순간 버려두고 와 미안하다고.

어느덧 해가 모두 넘어가버린 시간, 나는 마지막 버스를 타기 위해 터미널로 향한다. 이 밤의 느낌마저도, 서울의 그것과는 너무나 다르다. 이곳의 밤. 나만이 알고 있는 내 고향의 밤. 그 느낌. 이 공기의 냄새와 무게. 소리들. 뒤를 돌아보니, 붉은 벽돌 삼층집 작은 창문에서 소녀가 손을 흔든다.

— 어서 들어가. 엄마가 오려면, 아직 한참을 더 있어야 하니까.

나는 그 소녀를 달래 다시 들여보내고는 걸음을 재촉한다. 내가 저 집에 다시 살게 되는 날이 올까. 거짓말처럼, 그런 날이 온다면 나 말고, 이 세상 모든 고향집을 떠나 온 사람들에게도 같은 일을 맞이하기를 소망한다. 모두가 가슴에 품고 있는 가장 소중한 어떤 시기. 그 시기를 함께한 그 집에 다시금 돌아가 살 수 있는 기적을 갖게 되기를. 흩어진 당신의 가족들도 모두 다시 모여 같은 방에 옹기종기 잠들 수 있기를. 가슴 안에 아프게 맺힌 '우리 집'에 돌아가기를.

다시 터미널. 자꾸만 나오는 눈물을 훔쳐내고 따뜻한 음료를 사 마신다. 다시 서울로 돌아가는 버스에는 나 말고, 다섯 명의 승객이 더 있다. 각자의 얼굴에 자기만의 이야기를 담고 우리는 서로 말이 없다.

버스가 터미널을 떠나 다시 서울로 향하는 고속도로를 탈 때까지, 나는 차창 커튼을 닫지 못했다. 졸음이 밀려온다. 언제쯤 다시 오게 될지. 어느 날 갑자기 표를 사고, 걸려오는 전화를 받지 않은 채로 고향으로 내달려오게 될지. 그런 날은 아마 울어도 울 수 없는 날, 슬퍼도 슬퍼할 수 없는 날, 그리움이라는 단어에 이유 없이 매달리게 되는 날. 그런 날일 것이다.

슬퍼도 헤어질 수 없는 연인처럼. 아파도 평생을 갖고 살아야 할 어떤 상처처럼. 어찌되었든 나는 고향을 찾고 있다. 결국엔 나도 그리워하고 있는 것이다. 비빌 곳을 찾고 있는 것이다. 어쩌면 나는 늘 잊고 싶다면서 애써 기억하려했는지도 모른다. 이렇게 내가 다시 찾아왔으니, 이 도시여 나를 다시 품어달라고 그렇게 소리 없이 애원하고 있는지도 모른다.

묻고 싶다. 다시 돌아가 한 평생을 살고 싶다면, 당신은 과거의 어느 곳으로 돌아가고 싶은가. 그 지점에는 어떠한 행복이 있는가. 어떤 용서 못할 일들이 있는가. 다시 한 번 집을 짓고 가족이라는 울타리를 허락한다면, 당신은 당신의 고향으로 돌아갈 텐가. 아니면, 다시 한 번 아무도 모르는 어떤 곳을 택할 것인가.

고향은 없다, 말하면서도 그곳으로 가는 버스표를 사고 있는 나를 나만큼은 이해한다. 내가 나를 이해하는 일은 때로 얼마나 힘겹고 눈물겨운 일인지. 상처가 없다면 견딜 수도 없었겠지. 불완전함이 나를 여기까지 끌고 왔는지도. 그 불행의 기억으로, 행복을 알아왔는지도. 그래, 어쩌면 나는 잊는다 하며 진짜 잊을까봐 겁내고 있는지도 모를 일이지. 기억함을 기억하려 그곳을 찾게 되는지도…….

버스가 속도를 낸다. 이미 창밖은 검다. 커튼을 닫고 눈을 감는다. 나는 다시, 우리 집이 아닌 우리 집으로 되돌아간다. 지친 몸은 뉘이지만, 지친 마음만은 온전히 뉘이지 못하는 그곳. 떠나오기 전, 불 하나를 켜두고 나왔다. 그 불빛 하나만이 나를 기다리는 도시로, 나는 지금 돌아가고 있다.

# 라벤더 로드 Lavender Road

라벤더의 계절.
그 보랏빛 꽃대가 바람에 흔들거릴 때면
이 세상 공기의 빛이 일순간 변화한다.
향기에 취한 마음도 이리저리 흔들거린다.

가까이 다가가보면 그제야 들려오는 벌들의 날갯짓 소리.
마치 웅장한 의식을 치르는 북소리처럼,
라벤더 밭 한가운데 벌들의 날갯소리는 경건하기까지 하다.
천천히 그들과 닿지 않게 그 안으로 걸어 들어가본다.
그 보랏빛의 공간 속에서 나비들이,
라벤더 꿀을 모으는 꿀벌들이 부지런히 제 할 일을 하고 있다.

프로방스의 트리스카스틴Triscastin.
사방은 모두 밀밭이거나, 라벤더 밭이거나, 혹은 포도밭이다.
부지런한 것들만이 이렇게 아름답게 살아 있다.

보랏빛 물결을 손으로 훑어내면 손끝에 물드는 진한 향기.
그것은 투명한 6월의 프로방스, 그 햇살을 담고 있다.

라벤더를 보고 싶어 나는 자주 길을 나섰다.
어떤 풍경이 매일 보고 싶은 것.
이쯤 되면 사랑이라고 말해도 좋겠지 싶을 만큼의 그리움.
나는 부지런하게 살아내는 그것들의 아름다움을 보려고,
매일같이 부지런해졌다.

풍경이 익어가는 모습을 보는 일.
그것은 시간을 가슴으로 새기며 사는 일이었다.
하루하루 색채가 달랐다.
날이 갈수록 선명해졌고 향기는 더욱더 진해졌다.
7월 말이면 활짝 핀 라벤더를 재배하기 시작한단다.
꽃을, 그 향기를 모아 삶을 이어가는 사람들의 얼굴은 모두
그 꽃을 닮아 있다.
맑고, 아름답고, 진실하다.

프로방스 드롬Drôme의 소도시 몽텔리마Montelimar에서 시작하는 라벤더 로드는 작고 풍요로운 도시 그리냥Grignan을 지나 올리브의 도시 니옹까지 이어진다(프로방스 전 지역에 5개의 라벤더 루트가 있는데, 내

가 다닌 곳은 그중 두 번째 루트이다).
잘 정돈된 경작용 밭이나 제멋대로 자라난 야생 라벤더 밭이나, 모두 같은 향기를 가지고 아름답게 피어 있다. 하늘과 나무와 라벤더, 그 세 빛깔을 보고 있으면 '어우러짐'이라는 말이 가진 의미를 절로 생각하게 된다.

차를 몰고 누구 하나 서두르지 않는 한적한 도로를 달린다. 달리다 마음에 드는 라벤더 밭이 나타나면 도로 한 편에 차를 세우고 밭으로 걸어들어간다. 피곤한 몸을 침대에 뉘이듯이. 바다 한가운데를 오롯이 동동 흘러가듯이.

라벤더는 두통을 치유하고 마음을 안정시킨다. 오일이나, 각종 목욕용품, 향수 등으로 만들어지고 때로는 요리에 풍미를 더하는 재료로 쓰이며, 건조된 꽃은 포푸리로 만들어 집 안 이곳저곳에 놓아도 좋다. 참 하는 일도 많은 식물이다.

이렇게 아름다운데 착하기까지 하다.
사람의 마음을 만질 줄 아는 꽃이라니.

알 수 없이 병든 곳이 있기에, 분명 뾰족하게 솟은 상처들이 있기에, 나는 마음껏 라벤더 무더기 사이에 나를 놓고 다닌다. 비로소 내가 급하게 떠나온 이유가 선명히 보인다.

모르는 사이 치유되리라.
더 나빠지지 않으리라.

그래, 바람처럼 조용히, 다 지나가리라.

나는 지금, 라벤더 밭 한가운데 서 있다.

# 사랑은

사랑은 가슴속에 무덤 하나를 만드는 일이다.
끝없이 너를 묻고, 추억을 묻고, 기대와 체념을 던져넣는다.

사랑이란, 그렇게 가슴에 너를 묻을 깊은 골을 수없이 파내다
어느 날, 나를 부르는 너의 손짓에 웃으며
그 깊고 고요한 어둠의 수렁 속으로 함께 빨려들어가는 일이다.

나란히 누운 무덤 위로 하얀 별이 뜨고, 지고.
어느덧 흙냄새에 익숙해져 내 몸이 모두 바스라져버린 걸 알았을 때
내 곁의 너는 이미 바람이 되어 사라지고

다시금 무덤을 박차고 나와,
또 다른 추억을 찾아 기대와 체념을 찾아
빈 그곳을 향해 던져넣는 쓸쓸한 상처의 되풀이.

사랑은 그렇게 내가 다시 죽는 줄도 모르고
가슴속에 깊은 무덤 하나 만들고, 또 지우는 일이다.

# 감정의 은퇴 계획

그때 우리는 틈만 나면 꿈을 꾸었다. '서른이 되면 아프리카에 가자'고 했고, '마흔이 되면 사막의 새벽을 보자'고 했다. '얼음 덮인 대륙을 횡단하는 열차여행을 하자'고도 했고, '핀란드에서 크리스마스를 맞이하자'고도 했다.

그때 우리는 그런 얘기를 하면서 즐거울 수 있었다. 꿈을 꾸는 대로 입으로 털어내지 않으면 너무나 많은 꿈들이 쌓여 그대로 내가 폭삭 주저앉아버릴 것만 같아, 하루하루 하고 싶은 일들이, 할 수 있을 것 같은 일들이 생겨났다.

그러니까 그때 우리는 이십대였다. 무슨 일인지 자주 연락이 두절되었다가 폭삭 시달린 얼굴로 나타나곤 했던 B와 늘 미적지근한 연애를 놓지 못하던 M, 그리고 노랫말 쓰기와 책에 빠져 혼자 난 척하며 살던 나. 좋아하는 음악도 다르고, 좋아하는 사람도 다르고, 혈액형도 저마다 다르지만 그때부터 우리에겐 서로가 서로를 좋아하니까

'괜찮다'는 식의 막연한 믿음이 있었다.

만나면 별 수다 없이도 서로의 배나 무릎을 베고 누워 책을 읽거나 각자의 생각에 빠졌고, 배가 고프면 밖으로 나가 서로 먹고 싶다는 것을 양보하며 먹어주었다. 나는 유독 패션이나 인테리어 같은 것들에 센스가 있는 M의 안목에 맞추어 옷을 사거나 집을 꾸몄고, 시와 술을 좋아하는 B와는 삶을 느끼는 높이가 너무 잘 맞아 자주 술을 마셨다(술을 못하는 M은 이런 우리 둘 사이에 끼어 콜라를 앞에 놓고는 몇 시간이고 취한 듯 대화를 이끌어주는 독한 스킬을 나날이 발전시켰다). 나는 자주 술에 취한 B에게 시낭송을 부탁했고, 취하면 유독 낮아지는 B의 목소리로 듣는 시들은 늘 슬픈 노래처럼 나를 울렸다.

그때 우리. 하는 일들은 하는 때마다 모두 되지 않았고, 주머니는 자주 텅 비었고, 몸무게는 갈수록 늘어났고, 서로의 주변 사람들이 하나둘 사라져가는 것을 함께 지켜보았던 젊은 우리. 그렇게 우리는 까만 터널 같은 이십대를 함께 지나왔다.

어떻게 이 10년이라는 세월이 흘러간 걸까.
기억되지 못하는 시간들은 모두 누구의 가슴속에 멈춰 있는 걸까.
이제 삼십대가 된 우리, 잘 살고 있는 걸까.

그리고 우리는 점점 소원해졌다. 자연스럽게 각자의 삶에 몰두해야만 하는 시기가 왔다고 하는 게 맞을지도 모르겠다. 삶은 갈수록 팍팍해졌고, 우정이라는 말 앞에는 늘 현실이라는 두 음절이 커다란 벽처럼 버티고 서 있었다. 우리는 어떻게든 스스로 살아나가야 하는 삼십대의 '어른아이'가 되어 있었다.

그러던 어느 날. 언젠가 본 미국의 유명 드라마의 여주인공의 대사가 생각났다. 각자의 생활에 묶여 자유롭게 여행을 떠나는 것조차 버거워하게 된 친구들에게 그녀는 "우리에게도 감정의 은퇴 계획이 필요하다"고 외친다. 그 장면을 보고 모니터 한구석에 B와 M의 얼굴이 떠오른 것은 왜일까. 나는 곧바로 그녀들에게 전화를 걸어 외쳤다. "우리도 추억을 많이 만들어야 해!"

언젠가 B와 M과 내게도 모든 게 시시해지는 날들이 오겠지. 각자의 자리에서 더욱더 외로워지고, 만나서는 남편과 가족의 이야기 외에는 할 말이 없어 민망해지는 순간이 올지도 몰라. 무엇이든 내 가슴으로 느끼는 데 사뭇 둔해져 있을지도 모르고, 자꾸만 내가 세상 밖으로 밀려나고 있는 기분이 들어 서서히 입을 닫게 되는 날이 올지도 몰라.

몸은 귀찮아지고, 새로운 일을 벌이기에 모든 게 늦었다는 생각에 선

LOVE
BEATLES
MILLOS
PAOLO

뜻 겁을 먹고 제자리에 남은 삶을 모조리 멈춰버릴지도 모르지. 그렇게 나의 모든 감정들이 쇠약해지는 때가 오면, 달리 무엇으로 남은 삶을 지탱할 수 있을까.

경제적인 부보다 더 필요한 건,
아마 감정적인 부, 그것일지도 모르겠다는 생각이 들었다.

나는 당장 수첩을 열고 앞으로 B와 M과 함께해야 할 일들에 대해 적어내려갔다. 사소하고 시시한 것부터 애를 쓰고 지켜야 하는 것들까지. 감정의 은퇴 시기가 오기 전에, 되도록 많은 사건 사고를 그녀들과 함께 만들고 싶다. 이십대의 기억들로 남은 사오십 년을 버틸 수는 없으니까. 우정도, 노력일 수 있으니까.

B와 M.
언젠가 우리도 알게 되겠지.
지나간 추억에 기대어 산다는 게 어떤 의미인지.

그래, 우리는 지금 쓸데없는 시간 낭비를 하고 있는 게 아니야. 잘못 살아온 것도, 잘못 살고 있는 것도 아니야. 다만 우리는 지금, 먼 훗날 함께 기댈 추억들을 쓰고 있는 거야. 춥고 외로울 때 비벼댈 수 있는, 아프고 허전할 때 끌어다 덮을 수 있는 그런 추억.

꼭 해야만 하는 숙제처럼, 힘을 들여서라도, 우리 추억을 만들자.
그렇게 서로의 기억을 안고 사는 부자가 되자.

우리 중 하나가 기억을 잊으면 다른 둘이 그 기억을 찾아주면서.
서로가 '나'를 잃어가지 않게 곁에서 지켜주면서.
그렇게 함께 늙어가자,
우리.

Part 3

# 작게, 또 한 번

# Small Step

여행은 내게,
매번
첫사랑이다

Fragonard

## Love for mankind

사실은 우리 모두 같은 것을 생각하며 산다는 걸 알았다.

모든 것이 휩쓸려 지나간 폐허 위에
작열하는 태양 아래 모래알처럼 말라가는 생명 위에
수마가 쓸고 지나간 자리, 언제고 마를 것 같지 않은 그들의 눈물 위에
가난이라는 이름의 날카로운 생을 간신히 밟고 서 있는
지구의 곳곳에 왜, 라고 물을 시간도 없이 난사되는
총과 화약에 숙여진 마른 어깨 위에

가난한 나의 주머니를 털고
부족한 나의 것은 쪼개어 나누고
내 것과 네 것의 구분을 없애버리고
부르지도 않은 그곳에 제 발로 걸어들어가 위험과 맞서고
어설픈 타국의 언어로 "힘 내, 잘 될 거야" 이야기하고

약속한 것도 아닌데, 그들이 울 때 나의 눈도 붉어지는 것.
생면부지의 그들의 슬픔이 나의 것처럼 아파 죽겠는 것.

사실 우린 누구보다 화해에 목마른 사람들이다.
사랑을 할 줄 아는 사람들이다.
남을 위해 무언가를 나눌 때
나의 행복이 두 배쯤 부풀어오른다는
사실은
이미 오래전에 알고 있던 사람들이다.

우리는 지구라는 조금 큰 동네에 함께 살고 있는 조금 먼 이웃들.
모두의 가슴속에 하나로 통하는 암호를 숨기며 살고 있다.

단단히 묶여 있는 마음을 무장해제 시키기에 충분한 말.
Love for mankind.
따뜻한 피돌기를 하는 누구나의 심장에 새겨진 그 말.

humanity.

FREE
HUGS

# 외로워해야 할 필요

나는 생각한다.

사람은 가끔, 일부러라도 외로워해야 할 필요가 있다, 고.

# I do what I am

가끔, 일과 나를 놓고 저울질할 일이 생기면
언젠가 읽었던 잡지 속 한 여배우의 인터뷰를 생각한다.
내용이 자세하게 생각나지는 않지만, 대충의 기억을 더듬어보면
이렇다.

— 예전엔 'I am what I do'라는 생각을 종종 했어요. 내가 하는 일이 나를 말해준다고 생각했죠. 그런데 그러다보니, 점점 내가 안 보이고, 내가 하는 일만 보이더라고요. 한동안 방황을 하고, 나름의 생각을 정리하다보니, 언제부턴가 생각이 바뀌었죠. I am what I do가 아닌 'I do what I am'으로. 내가 하는 일이 나를 말해 준다는 게 아니라, 나는 내가 나일 수 있는 일을 한다, 는 거죠. 내가 먼저 보이고 나니까, 그 뒤론 아주 자연스럽게 내가 하고 있는 일이 더 잘 보였어요. 좋은 변화였다고 생각해요.

내가 하는 일이 나를 말해준다, 가 아닌

나는 '내가 나일 수 있는 일'을 한다.
그건 '나'를 오래도록 고민해본 자만이 할 수 있는 말이다.
나를 고민하고, 충분히 버려보고,
또다시 일으켜 세워보았던 경험 없이는 할 수 없는 말이다.

그간 여리고 어리게만 보았던 그녀의 이미지가 갑자기 사라졌다.
아울러 스스로를 그토록 깊숙이 들여다볼 수 있는 용기를 가진
사람이라면 충분히 모든 이들에게 사랑받을 자격이 있다는
생각이 들었다.

잡지를 덮으며 진심으로 그 여배우의 성공을 빌었다.
나 역시 한 명의 팬이 되기로 했다.

그리고 가끔 내 일에 내가 끌려가는 것 같아 힘든 날이 오면,
나는 그녀의 말을 생각한다.

나.는. 내.가. 나.일. 수. 있.는. 일.을. 한.다.

I do what I am
I do what I am.

## daydream

프랑스 남부 드롬 지방의 작은 마을 생 레스티튀Saint Restitut.
그곳은 '낮잠'이라는 단어가 참 잘 어울린다. 근처에 머무는 동안 여러 번 갔음에도, 매번 마음이 느슨해진다. 마땅한 재미랄 것도 없고, 눈길을 끄는 요깃거리들도 없고, 게다가 사람도 별로 없다.

그야말로 참 시시하고 재미없는 시골 마을.

주위를 둘러보면, 사소한 것들이 눈에 띄긴 한다. 몇 번의 칠을 더하며 변해온 오래된 간판, 낮잠 자는 고양이 부부, 시든 꽃잎에 물을 주는 할머니, 몇백 년의 시간을 묵묵히 지내온 석조 주택들과 마을을 둘러싼 석벽, 그리고 이따금씩 들려오는 바람 소리.

참 심심하다.
그런데 신기한 건, 그 심심함이 외로움을 불러오지 않는다는 것.

마을을 돌아보고 오는 날엔, 잠들기 전까지 빈틈없이 그곳이 생각났다. 그 심심하고 재미도 없는 마을이 왜 자꾸 생각나는 것인지 몰랐다. 그냥, 언젠가 이곳에서 눈을 뜨고 감은 적이 있는 것 같은 생각에 틈틈이 하루를 뒤척였을 뿐.

조용한 마을이, 오래된 간판이, 낮잠 자는 고양이 부부가, 마당 한가득 화분을 놓고 늘 화분에 물을 주는 할머니가 보고 싶어, 나는 다음 날에도 또 그 다음 날에도 그곳에 찾아갔다.

좋아하는 사람의 주변을 배회하듯이, 그렇게 매일 마을을 기웃거리며, 여행을 떠나왔다는 사실을 잊고, 잊어서 비로소 진짜 여행을 할 수 있었다.

그러니까 여행이란 거창한 게 아니라 바로 이런 게 아닐까 하는 생각이 드는 거다.

Citroen
5009 TS 26

고작 오래된 간판에, 낮잠 자는 고양이에게, 옹기종기 모인 화분들에게, 이마를 쓸고 가는 바람 한 점에 반해 어쩔 줄 모르는 것. 그런 싱거운 것들에게 마음이 메여버리는 것. 그 사소한 이끌림에 내 생의 한 번뿐인 몇 날 며칠을 대책 없이 써버리는 것. 그리고 집으로 돌아와 지난번의 그곳은 까맣게 잊은 채 '생의 가장 아름다운 곳을 만났다'고 일기장에 빼곡히 적어놓는 것.

여행은 내게, 매번 첫사랑이다.

## 뒷모습 만들기

함께 나이 들어간다는 건 어떤 의미일까.

같은 시간을 나누어 살고
각자의 삶을 따로 임과 동시에 함께임을 느끼며 사는 것.
그가 무엇에 정신이 팔려 있던, 기다려주고, 기다려주는 것.
그렇게 함께 눈감는 순간을 꿈꾸는 것.

그래, 사랑하려면 오래 사랑하자.

오랫동안 곁을 지키고 오랫동안 서로의 짐을 나누어 지고,
먼 훗날 누가 먼저 눈감든 고마웠다고 말하자.
함께 눈감게 되면 또 그렇게 돼서 고맙다고 말하자.
저런 아름다운 뒷모습을 함께 만들고픈 너를, 절대로 놓치지 말자.

사랑이란,
왠지 모르게 가슴 찡한 뒷모습을 함께 완성해가는 일.

그것의 진정한 의미는 화려한 시작보다,
잔잔하고 아름다운 마지막에 있는 건지 모른다.

Salon de thé
Patisserie

# 그 남자 이야기

그때 나는 열두 살이었다.
갑작스러운 신체의 변화에 매일매일 놀라며 혼자만의 비밀 만들기에 몰두하던, 세상은 기쁨과 슬픔 이외에 외로움과 유대감, 불안과 안정, 초조와 여유로움으로 이분되기도 한다는 사실을 어렴풋이 깨닫기 시작했던 나이였다. 그러니까 나는 부끄럽지만, 일찍부터 외로움이나 고독함 같은 것들에 대해서 고민했던 조금은 조숙한 초등학생이었다.

종교도 없고 애인도 없던, 오로지 나와 내가 아닌 것들만이 가득했던 시절이었다. 그리고 그 시절의 한가운데, 내게는 사랑하는 언니와 지금부터 이야기하고 싶은 '그 남자'가 있다.

그 남자의 이름은 참으로 멋지기도 하다.
윤.상.
그의 음악을 처음 들었던 건, 정확히는 기억나지 않지만, 아마도 언니의 구식 금성 라디오에서였을 것이다. 그때 '겨우' 중학생이던 언니는 '고작' 초등학생이던 나에게 자신이 좋아하는 이런저런 음악들을 들려주며 좋지 않냐, 고 묻곤 했는데, 나로서는 간만에 좋다, 고 대답할 만한 음악을 만난 거였다. 앨범 재킷에는 깊은 눈두덩이를 가진 우수에 찬 한 남자의 얼굴이 클로즈업되어 있었다. 타이틀곡은 〈이별의 그늘〉. 제목만으로도 겹겹이 외로워지는, 어렸지만 조숙했던 그 시절 나의 마음을 훅 끌어당기기에 충분했던 그 곡은 그렇지 않아도 이리저리 잘도 휘둘리던 어린 나의 마음을 저 먼 감정의 낭떠러지로 쉽게도 떨어뜨렸다. 그렇게 나는 언니의 옆에서 그의 노래를 하나하나 듣고, 가사를 외우고, 따라 부르며 성장했다. 그 사이 언니와 나는 안팎으로 더욱더 외로워졌기에 서로를 더 감싸 안을 수밖에 없었고, 그의 음악은 그 사이를 단단하게 여며주는 단추 같은 역할을, 묵묵히 해주었다.

위로. 사람들에겐 각자 음악에 대한 자신만의 정의가 있을 테지만, 나에게 음악은 늘 '위로'였다. 울고는 싶은데 마땅한 핑곗거리가 없을 때, 무작정 기분이 좋고 싶을 때, 주변의 공기와 차단된 채 그냥 내 안으로 숨어들고 싶을 때, 가끔 부러 외롭고 싶을 때, 생활에 치여 무뎌지는 감정에 문득 불안해질 때. 그런 여러 가지 감정들을 보드랍게 감싸주며 괜찮다, 고 말해주는 유일한 치료제가 내게는 음악인 것이다.

나에게 음악이 얼마나 소중한 것인지, 그리고 그 음악을 좋아하게 해주었고, 하고 싶게 해주었고, 실로 하게 해준 그는 또 얼마나 고마운 사람인지. 그래서, 윤상과 그의 음악의 다른 말은 어쩌면 내게 '위로'일지도 모른다.

화려한 기교가 없기에 더 와 닿는 그의 목소리. 내게는 그 어떤 좋은 가창력을 가진 가수들보다 큰 마음의 움직임을 주는 그의 목소리. 하여 그의 음악은 나에게 때로, 시詩이고, 풍경風景이다. 이것은 그의 음악을 들으며 스물을 살고, 서른을 살아온 내가 그에게 말하고 싶은 나름의 부끄러운 고백이다.

사람들은 가끔 내게 묻곤 한다. 어떻게 글을 쓰는 사람이 되었느냐고. 겉으로는 이런저런 이유를 만들어대곤 했지만, 사실 마음속의 대답은 늘 하나였다. 윤상 때문에…….
너무 극단적으로 들릴지 모르겠으나, 나는 음악 하나로, 한 사람의 인생이 예기치 못한 방향으로 흘러갈 수도 있다는 사실을 믿는다. 내가 그 장본인이기 때문이다. 엄마가 없는 오후의 집 한구석에서, 첫사랑의 시큰한 후유증 끝에서, 재수 시절의 쓸쓸했던 새벽의 한가운데에서 내 삶 곳곳의 틈새 그 사이에서 그의 음악은 늘 내 곁에 있었고, 나는 그가 보여주는 생의 이런저런 그림자를 따라 여기까지 걸어왔다. 그렇게 휘청거리던 십대와 이십대. 그 부끄러우나 싱싱하고 소중한 나의 '역사' 속에 그가 있다. 그 사이 나는 '작사가'라는 직업을 얻었고, 그와 같은 노래를 쓸 수 없는 부끄러움과 그와 같은 분야에서 일을 하는 사람이라는 자부심 사이에서 이런저런 가사를 써냈다. 또 이십대의 마지막을 스스로 기억하기 위해 떠났던 여행에서 늘, 그의 음악을 들었고, 그 음악을 통해 탄생된 이야기들은 나의 첫 책이 되어 세상에 나왔다.

'우리는 함께 흘러간다.'
얼마 전 그의 새 앨범 발매 기념 콘서트를 보고 돌아와 다이어리에 적어둔 말이다. 감히 우리, 라는 말을 쓰고도 부끄럽지 않은 것은, 적지 않은 시간 동안 그의 음악과 나 사이에 있던 긴밀한 추억과, 그의 음악으로 말미암은 여러 가지 후일담 때문이리라. 그 '우리'라는 말 안에서 나는 아마 오래도록 행복할 것이고, 또 많은 이야기를 만들어낼 수 있을 것이며 맘 편히 울고, 맘 편히 외로워할 것이다. 지금껏 그래왔듯. 변함없이.

그의 음악을 듣는 순간, 시간은 거꾸로 돌아가 나는 열두 살 그 시절의 작은 집으로 옮겨진다. 곁에는 깡마른 몸에 커다란 안경을 쓴 채 무언가에 몰두하는 사랑스런 언니가 있고, 제법 어른스러운 척하는 표정으로 나지막한 그의 목소리를 따라 부르는 못생긴 열두 살의 내가 있다. 방안 가득 흐르는 가만가만한 그의 음악, 그리고 고요한 우리 집. 문득 눈물이 날 것도 같은 그 풍경을 바라보며 나는 가슴이 따뜻해진다.

그 순간이, 그를 만난 그 순간이 나를 여기까지 데려왔다. 윤상이, 그의 음악이 없었다면, 나는 지금쯤 어떤 마음을 가진 여자가 되어 있을까. 아마 외로움과 고독의 아름다움을 모르는, 지금보다 꽤 많이 모자란 감정을 갖고 사는 감정치가 되어 있지는 않을까.

ACOUSTIC AFRICA
JAPANESE BEAUTIES
SOUTH AFRICAN STYLE
SAFARI STYLE
EGYPT STYLE

## 다 그런 거야

그래, 상처를 받아본 사람은 상처를 주지 않지.
던진 돌에 가슴 한구석을 다쳐본 사람은 남에게 돌을 던지지 않아.
한 번이라도 진실의 눈과 눈이 마주쳐본 사람들은
거짓을 가까이 하지 않지.
이별이란 단어에 생의 한 부분을 베어본 이들은
함부로 이별이란 말을 꺼내지 않아.

그래, 다 그런 거야.

진짜 여행을 만나고 온 자들의 입에서
좀처럼 여행을 엿들을 수 없듯이.

# 심야식당

그의 식당은 자정부터 다음 날 아침까지 연다.
손님은 늘 오는 사람들. 하나같이 자신만의 이야기를 갖고 있는데, 생각해보면 그건 다 우리네 이야기다. '사연'이란, 눈 코 입처럼, 누구에게나 당연한 듯 자리하고 있는 필연의 일부라는 사실. 그의 식당 이야기를 엿보다보면 느껴지는 자연스러운 한 가지다.

작고 허름한 식당. 주방을 중심으로 오래된 나무탁자 테이블이 바 형식으로 붙어 있는 심야식당의 메뉴는 하나다. 돈지루 정식. 나머지는 가능한 한 손님들이 원하는 건 다 만들어준다는 주인만의 방침이 있다. 각자 먹고 싶은 음식들을 주문함과 동시에 손님이 가진 자신만의 이야기가 드라마에서 펼쳐진다.

손님들은 저마다 추억을 부르는 음식을 주인에게 주문한다. 그중 기억에 남는 것은 여섯 조각으로 칼집을 낸 소시지 볶음, 벌린 전갱이 구이, 매실 연어 명란 오차즈케, 포슬포슬한 계란말이 정도다. 그들의 이야기를 볼 때면 언제나 눈물과 함께 입에 침이 고인다.
나만을 위한, 이라는 수식은 어쩐지 눈물겹다.
나만을 위하는 사이, 너를 위한 모든 것들이 사라지고 끝에는 너마저 사라져버리는 수많은 일들 속에서 배운 사실이다. 나만을 위한 식사, 가 눈물겨운 것은 그래서 당연하다. 담담한 표정으로 손님이 주문한 요리를 만들어내는 심야식당의 마스터 코바야시 카오루. 그는 머뭇거림 없이 손님의 요청에 고개를 끄덕이며 재료를 준비하고 요리를 시작한다. 그 느낌은 사뭇 경건하기까지 해서, 요리라는 것이 단순한 어떤 욕구를 넘어선 '치유'의 의미를 담고 있다는 사실을 깨닫게 한다. 재료를 다듬고, 불을 올리며 요리하는 그의 손은 인간을 따뜻하게 위로해주기 위해 이것저것을 창조한 조물주의 그것과 닮아 있다. 손님들의 개인사에는 관여하지 않은 채, 그저 그 슬픔과 기억 자체만을 위로하는 따뜻한 힘.

오랜 미닫이문을 여는 순간, 안에는 따뜻한 국이 끓여지고 있고, 며칠 동안 보이지 않아 소식이 궁금했던 손님들이 옹기종기 모여 각자의 요리를 앞에 두고 시간을 보내고 있다. 심야식당의 마스터는 들어서는 이의 이름을 부르며 반갑게 인사한다.
'오랜만이네!'
나는 그 장면을 볼 때마다 자주 가슴이 뭉클하다. 나만을 위한 식사가 만들어지는 곳이라니, 나만의 '추억의 요리'를 만들어주는 사람이 있는 곳이라니.

이십대의 한 지점에서, 나 역시 작은 요릿집 혹은 작은 술집을 열고 싶었다. 차는 어쩐지 너무 조용해서 싫고, 너무 거창한 요리는 신경 쓸 게 많아서 싫고. '심야식당'처럼 메뉴 하나, 술은 세 종류, 그리고 술은 각자 두 병씩까지만 마실 수 있는 규칙을 가진 작은 요릿집도 술집도 아닌 집을 열고 싶었다. 술의 이름은 내 맘대로 서정주, 윤동주, 그리고 김경주. 요리의 이름은 김치전혜린, 계란말이응준, 마른안주노디아스 등 좋아하는 작가들의 이름을 붙이는 거다. 적지 않은 기간 동안 나는 혼자 생각하며 혼자 웃고 혼자 기뻐했더랬다. 그 가운데는 늘 사람을 만나고 싶다, 는 바람이 있었다. 내가 좋아하는 음악을 틀고, 가격도 내 마음대로인 곳. 내가 취하면 문을 일찍 닫고, 내가 배고픈 날엔 한가득 음식을 만들어 손님들에게 공짜로 주는 곳. 그런 터무니없는 식당 겸 술집을 여는 것이 꿈이었던 철없음이 아름답던 시절이 있었다.

한 사람만을 위한 식사.
절대 부담스럽지 않은, 상하관계가 아닌 수평관계에서 같은 눈높이로 만든 식사를 먹어보고 싶다. 그런 곳이 있어, 매일 찾을 수 있다면 좋겠다. '부탁해요~' 한마디면 내가 먹고 싶은 것을 알아서 척척 만들어주는 사람이 있는 식당. 음식은 추억이라, 그 추억이 그리운 날

찾게 되는 그곳이야 말로 내겐 따뜻한 손이고, 약이 되리라.
가능하면 허름하고 자리는 좀 적게 있으면 좋겠다. 하지만 나만을 위한 자리는 늘 비어 있어야겠지. 참, 그전에 '나'하면 떠올릴 수 있는 음식이 있어야겠구나. 나는, 무엇을 먹을 때 가장 위로받았었지? 나는 무엇을 먹을 때 못 견디게 가슴이 뭉클하고 아팠었지? 내게 '이야기'를 가져다주는 음식은 무엇이었지? 내가 만약 그런 식당을 찾는다면, 마스터에게 늘 부탁하고 싶은 음식은 대체 무엇일까.

답은 바로 나왔다. 팥을 넣은 찹쌀밥. 아무 반찬도 필요 없는, 그냥 찹쌀의 짭조름한 맛에 팥의 담백함이 어우러져 그냥 밥 하나로 요리다 싶은 그 밥. 일곱 살 때, 나는 팥 찹쌀밥을 처음 먹어봤다. 엄마가 일을 하러 나간 사이, 언니와 나를 돌봐주시던, 지금으로 말하면 가사 도우미쯤 되는 (그때는 그런 전문용어가 없던 시절이었다. 의미도 지금보다 훨씬 가족 같은 느낌이었다.) 할머니 댁에서였다. 엄마와 아빠는 볼일이 있어 외출하셨고, 언니도 어디론가 여행을 떠나 집에 나 혼자 남아 있던 날, 나는 처음으로 할머니 댁에 놀러갔다.

그때 할머니에게는 군대에서 막 제대한 아들이 있었다. 어렴풋한 기억으로 그 아저씨 같던 오빠가 나를 업고 잘 놀아주었던 것 같다. 어린 나를 귀찮아하지 않고 잘 돌봐준다는 느낌을 갖게 했던 사람. 제 어머니의 일터의 딸내미여서가 아니라, 있는 그대로 나를 귀여워해주던 그 느낌이 지금도 생생하다. 여하튼 그 아저씨 같은 오빠와 반나절을 신나게 놀고, 할머니가 차려준 밥상을 보며 나는 고개를 갸우뚱했다. '이게 뭐야? 빨간 밥이네'라고 말하자 할머니는 '어여 먹어봐. 맛있는 밥이여' 하시며 윤기 흐르고 찰기 가득한 따끈한 찹쌀밥을 한 수저 떠 넣어주셨다. 아, 그때의 느낌이란……. 어떻게 밥이 이렇게 맛있을 수 있지. '할머니, 밥이 짭짤해' 하며 밥상에 놓인 반찬을 마다한 채 두 그릇을 뚝딱 먹어치웠다. 그리고 두둑한 배를 안고 아주 달게 달게 잤다.

가끔 옛 추억을 더듬어보고 싶은 순간이 오면, 나는 그때 그 순간의 포만감과 따끈했던 할머니 댁의 아랫목을 생각한다. 그러면 내가 빨간 밥이라 부르던 찰기 가득한 팥 찹쌀밥의 맛이 떠오르면서 금세 입에 침이 고이고, 이윽고 가슴이 아리면서 눈물이 난다. 할머니는, 어떻게 해서든 이제 돌아가셨을 나이가 되었고, 그 아저씨 같던 오빠도 사십대 중반이 되셨을 거다. 모든 것이 다 이렇게 흘러와버렸다.

그 뒤로 그 팥밥 맛이 생각나 엄마를 졸라 집에서 몇 번 해먹어보았다. 하지만 할머니가 지어주신 그 맛이 나지 않았다. 아마도 그때의 밥이 더 달고 맛났던 이유는 홀로 있는 나를 들쳐 업고 먼 길을 걸어 손수 밥을 지어주시던 할머니의 진심과 깊은 애정을 내 몸과 마음이 알아차렸기 때문일 거라는 생각이 든다. 그 시절, 그 밥에는 어떤 종류의 애틋함과 고마움, 감동, 미안함 같은 것들이 섞여 있었을 것이다.

이름뿐인 어른이 되어 스스로 밥을 짓기 시작했을 때, 나는 그 팥이 든 찹쌀밥을 지어본 적이 있다. 물론 '그때 그 맛'은 나지 않았지만, 그 밥을 지어야겠다고 생각하고, 쌀을 씻어 익히고 밥을 떠 입안에 들여넣는 순간까지 나는 아득했고, 아련했다. 되돌릴 수 없는 어떤 추억을 붙들고 싶은 마음이 그 밥 안에 들어 있었다. 그리고 나는 아주 천천히, 그때의 기억과 마주 앉아 두 그릇의 찹쌀밥을 떠넘기던 일곱 살의 나로 돌아간다.

가게 문을 연다.

오늘도 여지없이 피곤한 표정의 고독한 마스터. 나는 내가 제일 좋아하는 자리에 앉는다. 옆자리에는 이미 오다기리 조가 앉아 땅콩을 일렬로 늘여놓고 맥주를 마시고 있다. 건너편 자리에는 오차즈케 시스터들이 오늘도 연어와 매실, 명란 오차즈케를 먹으며 남의 연애사에 즐거워하고 있다. 나는 아주 자연스럽게 이야기한다.

— 마스터, 늘 먹던 걸로 부탁해요.

마스터는 알겠다는 듯 부엌에 들어가 작은 나무냄비에 뽀얀 찹쌀을 씻어 넣고 붉은 팥을 섞는다. 맥주 한 컵을 거의 마실 무렵, 내 앞에 작은 나무냄비가 놓인다. 나는 자세를 가다듬고 뚜껑을 연다. 와락~

몰려나오는 김. 나는 찰진 밥 한 모퉁이를 푹 떠 입에 넣는다. 그리고 울컥~ 생각나는 얼굴에 코가 매워진다.
엄마가 보고 싶다고 몰래 문을 열고 내복바람으로 동네를 질주해 엄마의 가게로 뛰어가는 나를 붙잡느라 다리를 삐끗했던 할머니, 업히는 걸 좋아하던 나 때문에 허리가 성할 날이 없던 할머니, 신발을 쌓아 잠금장치를 풀고 문을 열고 도망치는 나 때문에 함께 있는 시간이면 신발장의 신발들을 모두 자루에 담아 숨겨야 했던 할머니, 아들과 단둘이 살던 할머니, 나의 어린 시절 곳곳에 늘 함께 있던 할머니, 엄마가 보고 싶다고 우는 나의 눈물을 닦아주시며 품에 앉아 재워주시던 할머니, 손끝이 다 터서 항상 연고와 씨름하던 할머니, 우리 가족이 이사 가던 날, 누구보다 조용히, 그러나 가장 가슴 아프게 울고 계시던 할머니.

나는 잊고 있던 기억들과 만나고, 만나서 화해하고, 든든해진 포만감으로 잠시 눈물을 잊는다.

정신없는 오늘을 살아가기 위해서는 소중했던 지난날의 기억들이 필요하다. 무미건조한 하루하루를 버텨내기 위해서는, 내가 기억하고 있는 오랜 상처나 행복의 기억들과 자주 만나야한다. 그때를 기억하면 내가 어떤 사람인지 조금은 기억하게 된다. 나를 잊어가고 있는 이때, 그래서 그 기억을 가져다줄 음식은 소중하다.

당신의 심야식당에는 어떤 마스터가 있는가. 그곳에 앉아 당신이 처음으로 주문하고 싶은 '당신만의 음식'은 무엇인가.
하루의 피로를 싹 날려줄 맥주와 함께, 혼자 있어도 외롭지 않은 그 순간, 내 앞에 놓일 어떤 음식, 한때 나를 살게 했던 음식, 과거라는 이름으로 묻혀버린 어떤 한 시절을 내게로 인도해주는 음식, 그 맛이 주는 느낌……. 이제 다시 올 수 없는 그때의 나.

내 생의 언젠가, 그런 식당을 만날 수 있을까. 나를 위한 하나의 음식을 지어주는 마스터가 있는 그런 장소를 찾을 수 있을까. 그런 곳이 있기는 할까. 만약 만나지 못한다면 인생의 후반 어느 때든지, 내가 꼭 그런 식당을 열어보리라. 주 메뉴는 '팥찹쌀밥말리'. 그런 공간의 유대를 얻고 싶은 손님들과 오순도순 그렇게 하루의 많은 시간을 쓰며 살고 싶다.

# 미래에서 기다릴게

내가 미래에서 왔다면 믿을래?

우린 사랑하게 되어 있어.
더 이상 겨울이 없는 나라가 되어버린 이곳에서
너와 난 아주 오래전에 사라진 겨울에 대해 이야기를 하다
사랑에 빠지게 되지.
이젠 사진 속에 있을 뿐인 설산과 꽃 같은 눈의 결정체를 보며
말없이 밤을 지새우면서 말이야.

겨울, 그건 얼마나 우리를 아련하게 하는 말인지.
너와 나의 어린 기억 속에 겨우 자리하고 있던 몇 번의 겨울.
그 하나의 계절이 서서히 사라져가는 동안 우리는 만나고 사랑을 하고
여러 가지 약속들을 만들어가게 되지.
세 개의 계절뿐이던 시간을 지나 두 개의 계절,
마침내 단 하나의 계절을 가진 시간이 될 때까지 말이야.

미래에서 생긴 일이야.
언젠가, 살면서 가장 지우고 싶은 기억이 무엇이냐고 서로에게
물은 적이 있었지.
너는 일곱 살의 어느 겨울, 혼자 남겨진 그날이라고 대답하며 웃었어.
'이 세상에 정말 나 혼자 남은 거라면 어쩌지'라고 생각하며
혼자, 라는 말을 혼자가 된 그 순간
진심으로 이해할 수 있게 되어 너무 슬펐다고.

갑작스레 찾아온 엄마 아빠의 장례를 치르고
할머니의 손에 이끌려 낯선 도시로 내려온 그날.
그날은 이제 이 세상에 겨울이 사라진 마지막 해였다고 했어.
하늘에선 마지막 눈이 내렸고, 너는 처음으로 혼자가 되었지.
어서 집으로 들어오라는 할머니의 목소리를 듣고도
너는 대문 앞에서 꼼짝할 수 없었다고 했어.
내리는 눈이 조금씩 쌓이고 가로등이 힘없이 켜지던 골목길.
그 앞에 작게 웅크리고 앉아 처음으로 세계의 끝에 대해 생각했다고.
자꾸 눈물은 똑똑 떨어지는데 차마 크게 울 수가 없었다고.

그리고 그 순간이 훗날 네 삶의 전체를 지배했다고.
그 외로움이, 그 눈물이, 그 막막함이,
가만히 내리는 마지막 겨울의 눈송이들이.

불현듯 그날의 느낌이 되살아나는 날이면 아무것도 할 수 없었다고,
울어도 울어도 슬픔이 가시지 않더라고.

그 말을 하며 짓던 너의 표정을 나는 내내 끌어안은 채 살아왔어.
세상에 슬픔이라는 단어를 표현할 수 있는 무언가 있다면
아마 그건 그때 너의 그 얼굴이 아닐까.
생각하면 나도 모르게 눈물이 났어.
서른 살에도, 마흔 살에도, 좀처럼 나아지지 않는 슬픔이었지.

지금 내 앞의 너는 작고 예쁜 일곱 살.
맑은 눈과 작은 콧방울, 다부진 입술.
너는 훗날 너와 나의 아이와 똑 닮았구나.

아무도 없는 골목, 세상의 마지막 눈이 내리는 오늘.
대문 앞에 작게 앉아 있는 너를 위해
나는 몰래 만들어둔 눈사람을 내밀고 있어.
앞에 놓여진 작은 눈사람을 들고 나를 멍하니 쳐다보는 너.
"괜찮아. 넌 아주 아주 행복한 사람이 될 거야.
그러니까 울지 마. 다 괜찮아질 거야. 정말이야."

꽁꽁 언 작은 너의 두 손에 입김을 불고 너를 꼭 안아주는 나.

작고 작은 이 아이가 내가 사랑하는 너구나.
눈가에 방울방울 눈물을 매달고 외롭게 앉아
세상의 마지막 눈송이를 맞고 있는 이 작은 아이가
내가 사랑하는 너구나.

그 순간 마주친 너와 나의 두 눈 속에 이는 우주를 닮은 소용돌이.
넌 보았을까. 먼 훗날의 너와 나를, 우리 둘의 이야기들을.
내 품에서 빠져나와 마침내 생긋 웃으며 너는 집으로 걸어들어갔지.
너의 미소를 본 순간, 나는 편안해졌어.

삶을 마치며 돌아갈 수 있는 단 한 번의 과거로의 여행.
나는 지금 이 순간 이곳을 선택했어.
너와 함께한 행복했던 나의 생,
나는 그 생 내내 네 어린 날, 그 순간의 슬픔을 안아주고 싶었어.
내가 사랑하는 네가 겪었던 이 밤의 쓸쓸함을 이 막막함을
이해해주고 싶었어.

이제 나는 다시 돌아가야 해.
너보다 먼저 눈을 감게 되겠지만, 그래서 너를 슬프게 하겠지만.

고마워.

아낌없이 사랑했고, 행복했어.
지금의 너를, 그 미소를 잊으면 안 돼.

기억해줘.
미래에서 기다릴게.

—〈시간을 달리는 소녀〉를 보다 그려진 이야기 하나

FRANÇAIS
RESTAURANT
FRANÇAIS

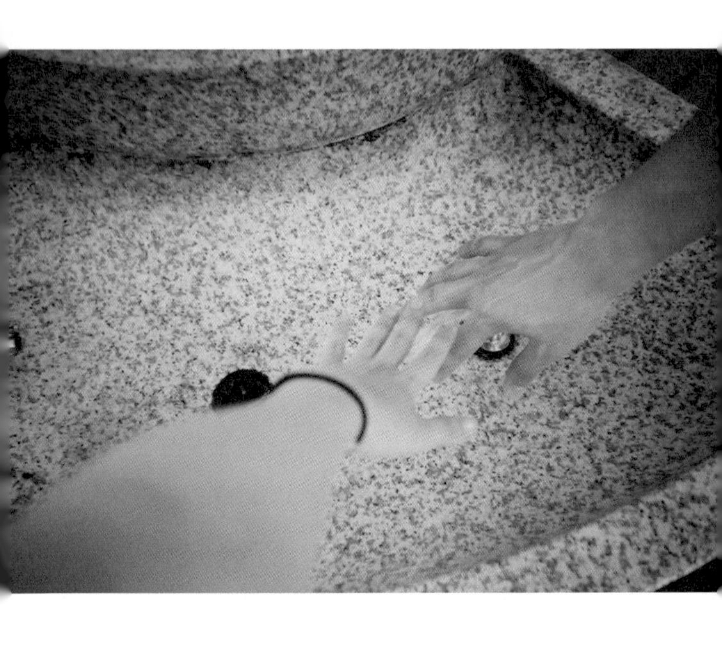

# 손

손을 잡자.

무엇에든 부끄러움 없이 나를 다 드러내놓고 매달리고 싶은 날.

차가운 세상에 상처받은 날.

선 밖으로 튕겨져나갈 듯 위태로운 나를 붙들어 매줄

무언가 있다고 믿고 싶은 날.

손을 잡아보자.

당신의 손.

거기 당신, 혹은 이쪽의 당신. 누구든 좋다.

때론 촉촉하고 때론 건조한.

메마름과 습기가 공존하는, 잠시 비 맞은 나무껍질 같은.

말 말고 하고 싶은 이야기가 있을 때,

나의 절실함을 어떻게든 전해주고 싶을 때

누구의 손이든 찾아 쥐고 그렇게 한참을 있어보자.
그 말랑하고 커다란 온기를 손에 가득 쥐고,
안심하고, 안심하자.
마음껏 위로받자.

생명선이 유독 짧은 나의 손금에 끝없이 긴 당신의 생명선을 맞대고
괜시리 서글프던 나의 운명을 잠시 잊어보자.
그렇게 서로의 지난 역사와 다가올 시간들을 이야기하자.

소리 없이 사라지고 소리 없이 생겨나는 생의 사소한 선들을,
마음껏 바라보고 쓰다듬어보는 일.
서로의 손에 새겨져 있는 부질없는 운명에 키득거리며 나의 손끝으
로
당신의 운명에 가만히 접근해보는 일.

그렇게 누군가의 손에 마음껏 기댈 수 있을 때
나 역시 누군가에게 대가 없이 손 내밀어줄 수 있을지 모른다.

손의 다른 말은, 사랑이다.

## 철

누군가와 함께 생의 높고 낮은 고비를 함께 넘어설 결심이 서게 되면,
그 결심으로 얻게 될 아픔이나 눈물을
기꺼이 받아들일 준비가 되었다고 느껴지면,
살림을 시작하게 된 나이, 냉장고를 열다
문득 엄마 생각이 나 눈 주위가 시큰거리면,
의미 없이 보내는 일분일초가 아까워지기 시작하면,
모든 죽어가는 것들을 사랑해야지, 라는 생각이 찾아오기 시작하면,
하루 생활 곳곳에 눈에 띄는 등이 굽은 노인들이
모두 내 부모님이다, 라는 생각이 들면,
모든 정답은 내 안에 있다는 사실을 깨닫는 순간이 오면,
도무지 이해할 수 없던 시詩가 가슴에 걸어들어오는 날이 오면,
살며 물질과 쾌락 이상의 가치를 찾고 싶은 시간이 오면,
내 곁에 남은 사람들의 건강과 안녕이
내 것 이상으로 소중해지는 날이 오면,
내가 누군가의 번뜩이는 머리이기보다

PALAIS DES PAPES - PONT SAINT BENEZET
AVIGNON
Palais des Papes

그의 고단한 두 발이 되고 싶어지면,
세상의 모든 초록이 마음에 들어오면,
언젠가 나도 저 초록으로 돌아가겠지 하는 생각을 덤덤히 하게 되면,
누군가를 호칭해야 할 때, 무엇도 아닌
그의 이름을 자꾸만 불러주고 싶어지면,
'아름다운 패배'라는 말을 누가 설명해주지 않아도
자연스럽게 느끼게 되는 때가 되면……

철이 드는 거란다.
진심으로 내가 포함된 모든 것들을 이해하게 되는 거란다.

## Part 4

# 순간의 산책

## an Hour's Journey

우리에게 필요한 건 단 한 가지.
그냥 좋은 전부를 찾으려 하지 말고
진짜 좋은
딱 하나만을 찾는 것

# 두 시간의 알비Albi

보고 싶은 마음이 이런저런 상황을 이겨버리면 그때는 하는 수 없이 떠나야 한다. '보고 싶다'는 말만큼 여행에 있어 설득력을 가진 원동력은 없으므로. 너무 보고 싶고, 보고 싶어서 쓸쓸해질 때, 나는 창을 열고 가방을 싼다. 그곳이 내가 있는 이곳에서 얼마나 더 가야 하는 곳인가는 그다음의 문제.

삭막하기 그지없다는 툴루즈Toulouse에 가겠다고 했을 때도 누군가 그랬다. 그곳은 그냥 평범한 도시일 뿐, 이렇다 할 눈요깃거리도 없다고. 살인적인 교통비를 버리면서까지 그곳에 가는 이유가 뭐냐고.

—그냥…… 보고 싶어서 그래.

극구 말리는 그 얼굴들에게 한마디를 남기고 나는 짐과 지도를 챙겼다. 이 밤이 얼른 지나서 기차를 타야 하는 시간이 왔음 싶었다. 내가 만나고픈 것들이 그곳에 있다는데…… 그 맘을 안고 잠을 자야 하는 밤은 너무나 길었다.

떠나는 날. 예약한 TGV는 어쩐 일인지 정시에 도착했다. 보르도행 급행열차. 끝없이 반복되는 풍경들 사이로 서너 시간은 족히 흘러가야 할 터였다.

회색의 구름이 낮게 깔린 도시. 도착해 둘러본 툴루즈는 추적추적 비가 내리는 중이었다. 잠시 서서 역 앞 전경을 물끄러미 바라봤다. 옹기종기 우산을 든 사람들이 운하를 통해 내려오는 강줄기 위의 다리를 건너고 있었다. 강물 위에 무심히 그려지는 동그란 파문.

여독에 지친 얼굴로 열을 지어 담배를 피워대는 사람들 사이를 빠져나와, 예약해둔 숙소로 향했다. 불안, 외로움 같은 단어들이 떠오르는 거리 풍경. 스페인의 접경지대에 자리하고 있는 미디피레네 지방인 그곳은, 그래서인지 프랑스가 아닌, 다른 외부의 도시 같은 낯설음을 갖고 있었다. 다행히도 그 낯설음은 내게 무척 자연스러웠다.

남자들은 삼삼오오 모여 길거리에 나앉아 술을 마시거나, 이끌고 다니는 개를 껴안고 잠에 빠져 있었다. 역 주변이 늘 그렇듯, 언제 어느 곳으로든 떠날 채비를 하고 있는 이들이었다. 길 위를 떠돌기 위해 필요한 건 단지 누군가의 체온뿐이라는 걸, 그들의 잠든 얼굴이 말

해주고 있었다.

예약해둔 숙소에 들러, 짐을 풀고 재빨리 역으로 돌아왔다. 이제 진짜 내가 툴루즈까지 내려온 이유를 만나야 할 시간. 나는 역 안의 인포메이션 센터에 들러 알비Albi로 가는 버스 시간을 알아보았다. 늘 그렇듯 마음 바쁜 창구 바깥 사람의 심정은 아랑곳하지 않는 프랑스사람들. 역무원은 자신에게 온 전화를 다 받고 나서야 느긋한 표정으로 나에게 말했다. "알비로 가는 마지막 버스는 5분 전에 떠났어."

이미 알비로 가는 마지막 버스가 떠났단다. 창구 안의 그녀가 느긋하게 전화를 받고 있던 시간에……. 화가 나는데, 웃음이 나왔다. 이쯤이면 이네들의 삶에 내가 좀 적응된 건가 싶었다.

그럼 내일은? 내일 저녁 기차로 나는 다시 아비뇽Avignon으로 돌아가야 하는데. 시간을 따져보니 내일 아침 일찍 알비로 갔다가 두어 시간 만에 다시 툴루즈로 돌아와서는 곧바로 아비뇽으로 가는 기차를 타야 대충 시간이 맞을 듯했다.

두어 시간. 나는 잠시 고민해야 했다. 고작 두어 시간을 보기 위해 이 먼 길을 내려온 건 아닌데. 고민은 잠시, 나는 결국 내일 아침 알비로 가는 버스를 타기로 했다. 고작 두어 시간이라도 만나고 싶은 것이 그곳에 있으니까. 숙소로 돌아오기 전 자코뱅 수도원에 들렀다. 아치형의 아름다운 회랑 아래서 사진을 찍고 중국인 식당에서 미리 사둔 저녁을 먹었다.

다행히 다음 날은 해가 좋았다. 간단히 짐을 챙겨 버스정류장으로 향했다. 버스를 타기 전 토마토와 치즈가 든 샌드위치 하나를 물고, 물 한 병을 챙겨넣었다. 여행지에서의 아침식사는 어떤 의무감에 가깝다. 지치고 싶지 않은 마음. 나의 무심함으로 집이 아닌 곳에서 어느 한 곳이라도 상하게 되는 건 너무 속상한 일이니까.

알비까지는 툴루즈에서 버스로 대략 두 시간. 살풍경한 도심을 벗어나 심심한 고속도로를 거쳐 포도밭이 드넓게 펼쳐진 미디피레네 지방의 익숙한 시골 풍경을 지나 알비에 도착했다. 쨍~ 너무나 맑은 하늘. 상쾌하게 건조한 공기가 마음에 들었다. 도착하자마자 급하게 길을 묻는다. 시원한 나무그늘 아래 조르르 앉은 노인들. 다급히 묻는 내게 그들은 웃으며 손짓으로 일러주었다. 이 길을 따라 무조건 직진할 것. 나는 그들의 주름진 손이 가리킨 방향으로 걸음을 옮겼다.

미술관까지 쭉 뻗은 도로변 길을 걷다보니, 높고 웅장한 생트 세실 대성당이 보인다. 그래 저곳만 찾아가면 되리라. 마음먹은 두 발이 더 빨라졌다.

붉고 높은 생트 세실 대성당에 닿으니 바로 옆에 세워진 미술관 건물이 보인다. 툴루즈 로트레크 미술관. 내가 그토록 보고 싶었던 곳. 성당 앞 광장에 신기루 같은 햇살이 내려와 있었다. 햇살에 눈이 시려 손 그늘을 만들며 미술관 정경을 오래도록 바라보았다. 따뜻한 붉은 벽돌. '툴루즈 로트레크'라는 글씨가 선명히 박힌 외벽이 제법 마음에 들었다. 나는 오후의 광장 한가운데 못 박힌 듯 그렇게 서 있었다.

드.디.어. 도.착.했.다.

도착했다, 라는 한마디가 이렇게 진실, 명료한 의미로 와 닿는 순간이 있다니.

로트레크, 하면 으레 물랭루주를 떠올리곤 했다. 어린 시절, 타고난 병과 연이은 사고로 난쟁이가 되고만 화가의 수많은 드로잉. 그 화려한 조명과 사람들 틈에서 늘 붓질을 멈추지 않던 화가의 솔직한 시선. 그가 부지런히 그려낸 수천 점의 드로잉과 유화들과 석판화 포스터의 일부가, 곧 내 앞에 나타나게 된다. 설레는 마음으로 티켓을 사고, 내부로 들어갔다.

조용한 내부. 어두침침한 조도는, 그의 그림이 주는 분위기를 오묘하게 잘 살려내고 있었다. 그것은 무대 뒤의 쓸쓸함, 웃음에 지친 무희들의 뒷모습, 말 없는 사창가 여인의 깊은 눈을 마주하기 좋은 빛이었다. 연대별로 나뉘어 전시된 그림 하나하나를 돌아보기 시작한다. 부유했던 어린 시절부터, 장애를 얻은 후 어두운 곳으로 숨어드는 시기까지. 어느 한 순간 게으른 적 없던 그의 그림들을 보며, 한 사람의 생이 단 하나의 목표만으로 흘러갈 수 있는 곳은 어디까지인가를 생각했다. 관람객들은 하나같이 모두 차분하다. 천천히 들여다보고 자신만의 시선 안에 차곡차곡 화가의 시선을 담고 있었다. 이렇게 이제 이 세상에 없는 화가의 눈과 눈을 맞춘다.

스타킹을 내리는 무희, 화장을 하는 무희, 물랭루주의 무희들과 우스꽝스러운 이베트 길베르의 얼굴. 석판화로 만든 화려하고 유머 있는 포스터들. 모든 그림에게 마음을 주지만, 나는 주로 색채가 화려하게 입혀진 그림보다 담백하고 불투명한 드로잉을 좋아한다. 그리다 만 듯한 선 밖으로 궁금해지는 이야기가 생기기 때문이다. 스타킹을 내리는 무희를 그린 습작, 단순한 선과 몇 가지의 색으로 채색되다 만…… 나는 오래도록 그 그림을 바라본다.

로트레크의 그림 속 무희들과 사창가의 여인들은 늘 다른 어딘가를 바라보는 시선을 가졌다. 아래를 바라보거나, 시선을 내린 옆얼굴이거나, 뒷모습이거나, 혹은 누워서 눈을 감고 있거나. 피곤함과 노곤함이 느껴지는 실루엣을 가진 그녀들. 화가는 그녀들의 또렷한 정면보다는 그러한 모습들에 진짜 그녀들이 있다고 생각했을 것이다. 그리고 그런 화가의 시선에 어떤 동정이나 애틋함은 없다. 다만, 그녀들을 그녀들로 바라볼 뿐. 나는 그런 담담한 로트레크의 시선이 좋다.

그는 남들보다 낮은 시선으로 늘 낮게 움츠린 쓸쓸함을 가진 이들을 있는 그대로 받아들여 그려냈다. 갖가지 계층의 사람들과 친했고, 시인을 포함한 당대의 유명한 문인들과도 조우했다. 그가 그린 몇 개의 드로잉에서 시와 이야기를 발견했음은 그래서 낯선 일이 아닐지도 모른다.

밤이 내린 파리의 몽마르트. 휘황찬란한 불빛이 요란하게 켜진 물랭 루주. 자욱한 담배 연기와 끊임없이 들려오는 폴카 리듬. 그 사이로 라굴뤼와 발랑탱이 요란하게 춤을 추고 있다. 챙~ 경쾌하게 잔이 부딪히는 소리, 그리고 그 속에 섞여 있는 상기된 사람들의 목소리. 무대 위로 한 떼의 무희들이 등장했다 퇴장하고, 그 구석 이젤을 놓고 앉아 술 한 모금에 붓을 들고 있는 로트레크가 앉아 있다.

쓱쓱쓱 그어지는 선. 캔버스 위로 한 명의 여인이 나타나려 할 무렵, 그는 붓을 놓고 자리를 턴다. 지금쯤 무대 뒤에서 소란스럽게 움직이고 있을 무희들의 이야기가 궁금하기 때문이다. 그렇게 여인들의 삶을 그리고 지우는 사이 그는 술과 향락에 자신의 삶이 지워져가는 줄도 모르고 빠져들었고, 서른여섯의 나이에 세상을 떠났다.

지하층에 비해 산뜻하고 깔끔한 흰 외벽으로 이루어진 지상층은 아무래도 그의 화려한 석판화 포스터들을 돋보이게 하기 위함인 듯했다. 한쪽 벽면에 커다랗게 자리 잡고 있는 물랭 드 갈라트의 상업 포스터들. 그 선명하고 유머러스한 그의 작업에 조금 느슨해졌던 시선이 바짝 일어선다. 재미있다. 유쾌하다.

미술관은 지하층을 포함, 3층으로 이루어져 있다. 총총히 걷다보면 2시간으로 충분하나, 잠시 쉬며 뒤뜰에 나가 아름다운 타른 강을 바라보는 여유까지 합하면 두 시간으로는 부족하지 싶었다.

마지막으로 시간을 계산해 부티크에 들러 기념품 몇 개를 골랐다. 스타킹을 벗는 여인이 그려진 커다란 그림 한 점과 엽서 몇 장, 그리고 포스터가 그려진 냉장고 자석. 이 모든 것들이 다시 돌아간 그곳에서 얼마나 많은 추억을 되새겨줄 것인가 싶지만, 당장에 기억하고픈 절실함이 이것저것을 자꾸 집어들게 했다. 돌아오는 길, 생트 세실 대성당에 들러 그 웅장한 깊이에 한 번 경의를 느끼고는 부랴부랴 버

스를 타기 위해 역으로 향했다. 단 두 시간의 알비. 나는 로트레크의 그림들을 만나기 위해 다섯 시간을 넘게 기차를 타고 이곳으로 내려왔다.

툴루즈로 돌아가면 가볍게 낮잠을 자고, 카피톨 광장을 향해 길을 나서야지. 축축하고 어두운 툴루즈 시내. 도착할 때 즈음 비가 내리면 좋겠다. 맥주 한 잔 하고 얼룩덜룩 젖은 보도블록 위를 걸으며 오늘을 내내 되짚고 싶다. 숙소의 방안에 크게 나 있는 발코니 창을 활짝 열고 빗소리와 함께 빛나는 툴루즈 야경을 보다가 잠들고 싶다.

그러다 잠든 꿈속에서 화려한 물랭루주의 한복판에 서 있게 된다면 더없이 좋겠다. 그렇게 꿈속에서 만큼은 로트레크의 그림을 닮은 외로운 무희가 되어 있어도, 캔버스 건너편 키 작은 화가의 시선은 아랑곳하지 않은 채 하루의 피로를 벗는, 쓸쓸한 사창가의 여인이 되어 있어도 좋을 일이다.

# 하루, 24시간, 그 사이의 슬픈 틈

1¨ 지난겨울 횡성. 힘없이 주저앉은 소들에게 일일이 주사를 놔주며 작별을 하던 기억. 헤어지는 것을 아는지 소들은 줄줄이 눈물을 흘렸다. 너무나도 많은 눈물이 지나간 자리. 아직도 빈 축사를 보며 몰래 울곤 하는 그는 이제 다시 소를 키울 자신이 없다.

2¨ 치매에 걸린 실종된 아버지를 찾는 딸의 글이 실린 열두 시의 타임라인. 함께 띄워놓은 사진 속 따뜻하게 웃고 있는 사라진 그의 얼굴. 시간을 잃어버린 그는 지금 어느 곳을 걷고 있는 걸까.

3¨ 몇 주 만에 먼저 전화를 걸어 '나는 잘 있다' 안부를 전하는 엄마의 목소리. 그것은 잘 '못' 있다는 말이다. 외롭고, 허전하고, 네가 보고 싶다는 그런 말이다.

4¨ 너를 바라보고 있으면 나는 자꾸만 환생을 믿고 싶어져. 나는, 다음 생에서도 그다음 생에서도 무엇으로든 너와 가까이 태어나고 싶

어. 아주 오래된 메모 속 너의 이야기.

5˙˙ 시련을 딛고 새 앨범을 낸 가수의 노랫말. "미안해. 내가 너의 우산이자 비란 게." 그의 상처가 만든 음악이 다른 이의 상처를 덮어주었다.

6˙˙ 첫사랑 그녀가 10년 전에 사준 양말을 아직도 애지중지 신고 다니는 그. 이를테면 말이야, 사랑이란, 떠나간 첫사랑이 사준 10년 된 양말을 기우고 또 기우는 심정 같은 거야. 그는 웃으며 말했지만 나는 눈물이 났다.

7˙˙ 아무리 마음을 먹어도 왠지 다 안 되고 말 것 같은 불길한 마음의 엄습. 그럴 때는 잠도 오지 않는다.

8˙˙ 녹음 부스에 덤덤하게 들어가 신나는 곡을 녹음하다 갑자기 소리 죽여 울고 마는, 어제 이별을 한 여가수. 한 번의 이별이 더해졌으니, 그녀의 노래는 몇 곱절 더 깊어지겠지.

9˙˙ 찰칵. 열쇠를 돌려 들어온 집. 그 막막한 정적과 어둠.

10˙˙ 텔레비전 속 끊임없이 떠들어대는 쇼 호스트의 목소리를 높여놓

고 혼자 끓이는 라면. 창을 열면 바람도 혼자가 아니다. 그렇게 분다.

11¨ 어느 날 갑자기 앓아누운 여자. 살 가망이 없다는 진단이 내려진 가운데, 까무룩 잠든 어느 낮. 누군가 다가와 따뜻한 손으로 여자의 손을 감싸쥔 채 기도를 하기 시작한다. 꿈에서 깨어나 생각해보니 여자를 위해 절실하게 기도를 하던 이는, 이제 이 세상에 없는 남편의 전 아내. 여자는 그 꿈 이후 몸속의 암 덩어리가 사라졌다. 남편의 죽은 전 아내. 그 착했던 아내를 위해 이제 여자는 신을 믿고, 매일 기도를 한다. "부디 다음 생이 있다면 남편과 전 아내를 다시 만나게 해 더 크게 사랑하게 하소서, 그리고 오래도록 헤어지지 않게 하소서." 여자의 기도는 매일 변함이 없다.

12¨ 오늘의 교통사고. 전광판에 보이는 사망자 1. 문득 쿵, 하고 내려앉는 마음. 유일한 것은 언제나 마음을 불안하게 해. 서늘하게 해.

13¨ 나타나고 사라지는. 다가왔다 멀어지는 사람들. 오늘도 나를 둘러싼 허울과 진심의 경계.

## 지극히 긴, 사적인 시간

비가 온다.
창문을 열고 바흐의 인벤션을 올린다. 비가 오는 날에 흐르는 바흐. 손쉽게 느낄 수 있는 몇 가지 사치 중 하나. 잘 정돈된 느낌, 일정한 속도로 흘러가는 선율, 짧고 단아하고 작은 상자 안에 꼭 들어찬 알맞은 선물 같은 느낌. 깔끔하게 끝나는 마무리도 좋다. 그 정결한 속도감도 마음에 든다.

이불을 털어내고 식사를 하고, 생각을 지우기 위해 음악을 튼 채로 마루에 앉는다. 생각을 지우기 위한 생각. 서른둘의 초반이 이제 거의 다 지나갔다. 붙들고 싶건 그렇지 않건, 시간은 흘러간다.

올해, 나는 '계획 없음'을 계획으로 삼았다.
해마다 내게는 어떤 특별한 계획이 있었다. 하지만 그것들은 대부분 지키지 못하기 위해 만든 것처럼 늘 빗나갔고, 실패했고, 멈춰서기 일쑤였다. 이번엔 아무 계획 없이 지내보자, 어떤 일이 벌어지는지

기다려보자. 나는 그래서 하루하루를 무언가 기다리는 심정으로 살게 되었다. 이것도 별로 나쁘지는 않다는 생각이다. 기다리다 무슨 사건을 만나든 기꺼이 받아들이고 이겨내주리라. 어찌 보면 선수들이 이리저리 뛰는 모습을 지켜보며 골문을 지키는 골키퍼 같은 심정으로, 내내 날이 서 있다는 점에서는 좀 마이너스이긴 하지만.

때로 아무 계획 없이 그 순간만을 사는 기간도 필요하지 않을까 싶다. 우리는 너무 많은 계획에 스스로를 파묻은 채로 사는 건 아닐까. 부러 먼저 계획하고 두려워하고, 억지로 힘을 기르고, 굳이 하지 않아도 될 일을 하는 게 아닐까. 체험하지 않았어도 진실은 늘 거기에 있다.

출근하거나 틈나는 대로 메모를 하는 시간. 집안을 정리하거나 책을 보는 시간을 제외하면 특별히 하는 일이 없다. 계획이 없는 요즘은 무엇을 해도 일이라는 생각이 별로 들지 않는다. 그냥 눈에 보이는 대로 집어들고, 무엇이든 그때그때 내키는 대로 한다.
하지만 가슴속에 움직이는 한 가지는 늘 있다. 어떤 매력적인 것들을 갈망하기, 깊은 생각하기, 결핍을 애써 충족시키려 들지 않기, 어떤 틀에서 벗어나 있는 모든 것들을 자랑스럽고 사랑스럽게 바라보기, 감정이 풍부하게 넘치는 상태를 기다리기…… 이런 모든 일이 매력적이어서, 그것들만은 놓치지 않고 생각하려 한다. 모두, 내게 꼭 필요한 것들이라고 생각하려 한다.

최근 나에게는 이렇다 할 결과물이 없다. 기다리지 않은 것은 아닌데, 먼저 손 내민 적도 없다고 하는 게 맞는 듯하다. 새 책을 위해 글을 쓰고, 가끔 노랫말을 짓는 걸 제외하면 어떤 기억으로 남길 만한 게 없다. 그것은 나의 생계와 관련된 일이라 조금 불안한 것도 사실이다. 하지만 더 불안한 것은 그 '결과물'이라는 세 글자에 매달려 살아가야 하는 내 삶이다. 언제쯤 그 세 글자를 가볍게 뒤로 제쳐놓을 수 있을까. 계획 없이 살기로 한 지금도, 나는 그것 하나만은 늘 불안하다.

사람들은 모두 어떤 단어에 매달려 살아가고 있다. 사랑, 가족, 돈, 명예 같은 것들. 내가 가장 매달리며 살아가고 있는 단어는 '사랑', 그리고 그 다음으로 '결과물'이라는 생각을 해본다. 가슴 아픈 일이다. 그 생각을 놓기 위해 '계획 없음'이라는 계획을 세웠는데 얼마나 충족하며 사는지는 잘 모르겠다. 올해가 가려면 아직 세 계절이 더 남아 있고, 시간은 늘 그랬듯 눈 깜짝할 사이에 흘러갈 것이다. 무엇보다 세상에서 만든 공들이 얼마만큼 나를 향해 날아들지 알 수 없다.

다행히 틈틈이 메모하며 견디는 것들이 있다. 정신적인 다짐은 어지간한 힘으로는 도무지 움직여지지 않아서 생각 날 때마다 메모를 한다. 써놓고 보면 모두 힘든 것들. 읽는 것만으로도 나를 지치게 하지만, 내게 꼭 필요한 말들. 이를테면 이런 것이다.

가난함에 얽매이지 않는다.

부족한 상태를 스스로 비난하지 않는다.

가치를 좇는 일에 둘러대지 않는다.

참아내야 할 것들을 참아낸다.

히피스러운 일들을 꿈꾼다.

따뜻한 직관을 기르자.

소란스럽게 살지 않기로 하자.

가능한 한 많이 다치고 아프자.

예리한 냉정을 기르자.

목적 없이 머무르지 말며, 정직한 채로 절대 게으르지 않는다.

너무 멀리 내다보지 않는다…….

그것들을 틈틈이 다시 찾는 것은 아니고, 그런 생각이 들 때마다 펜을 들고 꾹꾹 눌러쓰고, 아주 오래 들여다본다. 그저 그 시간들이 소중하다. 그러면서 각인되는 느낌들이 있다.

하지만 나는 여전히 부족한 딸이고, 제멋대로인 친구이고, 너무 나밖에 없는 애인이며 동생이다. 모험하지 않는 여행자이고, 행동하지 않는 몽상가이다. 그냥 하고 싶은 말만, 많다. 그들에게 언제쯤 좋은 사람이 될 수 있을까. 우습지만, 나는 그런 사람인 채로 사랑받기를 바라던 철부지였고, 앞으로도 그럴 것 같다. 고치고 바꾸어야 할 것들이 너무 많은 채로 살아가고 있다.

내 가슴은 아직 많은 것들을 보듬어내기엔 너무 차갑고 좁다. 가능하다면 좀 더 커다란 손과 포용할 수 있는 마음을 갖고 싶다. 정말 단 하나만 가질 수 있다면.

한 가지 더. 수많은 타인의 생각이 나를 지배하고 있다는 생각, 그것에서 벗어나기 위해서는 철저한 혼자만의 시간이 필요하다. 혼자만의 사유와 기록. 그런 것들을 손에서 놓지 말아야 한다. 옳은 일에는 마음을 내어주되 나만의 생각을 잃어버려서는 안 된다.
글을 쓰는 일은 사유의 방식을 표현하는 일이고, 내게는 보이지 않는 어떤 허공을 짚어내는 일이다. 누가 봐줄지 알 수 없고, 즉각적인 공격을 받는 것도 아니다. 그것만으로 다행한 일이어서, 이렇게 보이지 않는 깜깜한 허공을 향해 무언가를 써내는 게 좋다. 글을 쓰고 나면, 적어도 그 글들에 관해서는 얼굴을 가리고 아무것도 보지 않거나, 좋은 소리만 골라본다. 나는 내 눈에 보이지 않는 수만 명보다 눈앞의 한 사람이 더 무섭다.

어찌됐든 혼자만의 생각을 계속할 것, 멈추지 말고 기록할 것. 이러한 생각은 숨 쉬듯 하며 살고 있다. 내게 삶의 의미가 있다면 그것들뿐이다. 좋은 책을 볼 때, 마음에 드는 작가를 발견할 때, 스스로의 생각에 순조롭게 집중할 수 있을 때, 그리고 그것들을 막힘없이 기록할 수 있을 때. 바로 그때 비로소 살아 있는 것 같고, 아름다운 것 같다. 행운인지 불행인지 알 수 없지만……. 그래도 이렇게 느낄 수 있는 가슴이 있다는 게 얼마나 다행인지. 눈을 뜰 삶이 내게도 있다는 사실이 얼마나 감사한지 모른다. 매일 새로운 아침이 온다는 사실, 아니 오늘 아침 눈을 뜰 수 있었다는 것만으로도 진심으로 감사해야 할 일이다. 그러니까, 삶은 기적적으로 열중해야 마땅한 것이다. 어떤 방식으로든 열중해야 한다. 계획이 없다는 말은 결코 무책임하다는 게 아니다. 나는 이 상태에서, 나만의 방식으로, 남은 시간을 열중하며 보낼 것이다. 이렇게 비가 오는 날에는 바흐를 듣고, 이불을 털고, 식사를 하고, 나의 생각들을 기록하면서.

또 변함없이 사랑하고, 기회가 온다면 여행하고, 부딪히고 긁히고 생채기를 내면서. 많은 사람들을 두려워하는 동시에 두려워하지 않는 마음을 갖고서 나만의 이야기를 계속하련다. '오늘 아침 메뉴는 자몽과 우유 한 잔입니다'라는 말에도 귀를 기울여줄 수 있는 사람들이 있는 한 내가 이야기를 쓰는 이유는 충분하다. 거창하지 않아도 좋다. 나는 늘 소소하게 안아주는 사람이 되고 싶으니까. 있는 그대로의 잘 다듬어지지 않은 모습을 서슴없이 보여주는 것, 부끄러워하지 않는 것, 그 생동을 함께 느끼는 건 분명 행복한 일이다. 지극히 긴, 사적인 시간들을 게으르지 않게 갖는 것. 당신도 나도, 그럴 수 있기를.

# 침묵의 이해

사랑은 끝없이 이어지는 대화다.
꼬부라진 콧수염이 멋진 철학자 역시,
'결혼이란, 긴 대화'라는 멋진 말을 했었다.

그런데 살다보니, 사랑하다보니
그 말에 조금 더 보태고 싶은 맘이 생긴다.

사랑은, 또 결혼은 긴 대화이자
긴 침묵에 대한 이해라고.

대화가 없이도 불안해하지 않는 관계.
잠시 사라진 너의 말들을 붙잡으려 방향을 잃고 넘어지지 않는 관계.

그러니까 이를테면,
커피 한 잔이 다 식을 때까지 말없이 앉아 있어도 좋은 관계 같은 것.
설탕이 들어간 너의 커피와 설탕이 없는 나의 커피.
고르게 들려오는 너의 숨소리, 혹은 낮은 혼잣말에 귀를 기울이는 것.

가끔씩 마주치는 시선은 소리로 오가는 대화보다
더 많은 말들을 가졌다는 사실을 우리는 안다.

네가 내 앞에 앉아 있다는 사실.
그저 그것만으로도 충분한, 서로의 침묵에 대한
의심이 없는 그런 '사이'를 만들어가는 일.

내가 아는 사랑이란,
나에게 끊임없이 말을 던져오는 물음표 같은
너를 기다리는 일이기보다
가끔씩 침묵하는 말줄임표 같은 너를 이해하는 일이다.

## 그녀를 위한 낙서
## 'Her name is Amy Winehouse'

어제의 후회만큼 부푼 머리카락. 언제나 좀처럼 정리되어 있지 않던 머리칼은 지난밤의 일들을 이야기해주었지. 그녀는 아직 멋대로 살아도 부끄럽지 않을 만큼 어린 나이. 다만 생의 절반을 다 지나쳐온 사람의 목소리를 가진.

시간이란 상대적이어서 누군가에겐 스무 해의 기억이 평생의 기억이 되기도 해. 찰나 같은 일흔 해와 여름 무더위같이 긴 스무 해. 무엇이 더 길다고 이야기할 수 있지?

그녀는 긴긴 여름밤의 더위 같은 시간들에 대해 노래해. Love is a losing game. 모든 시간을 끌어안고 있는 표정과 그 목소리. 겨우 스물일곱 해를 살았지만 그녀의 안에는 어린 소녀와 새하얀 노파가 함께 있었어.

—지금부터 내가 노래를 하기 위해 필요한 건 한 잔 의 술, 그리고 당

신의 눈빛. 자, 무대 아래의 당신들. 없을지도 모를 내일을 위해 다같이 Cheers.

무대 위에서 곧잘 들어올리던 예쁜 술잔. 마른 가지 같은 손가락 사이에 끼워진 담배. 그녀는 이야기하곤 했지.

—자, 친구 이 술잔 속을 봐. 나의 노래가 이 잔 속에 들어 있거든.

정말 그 잔 속에 들어 있는 건 노래였을까. 한 잔 한 잔 늘어갈수록 마법처럼 깊어지던 그녀의 목소리, 솔직한 이야기. 이윽고 비틀거리

다 무대 아래로 끌려내려오곤 했지만, 그때 그녀의 눈빛에 이끌린 사람들은 며칠 밤이고 잠들 수 없었지. 그녀를 듣고 난 이후 세상의 모든 노래가 시시해져 견딜 수가 없었기 때문이야. '목소리' 밖에 없는 노래들이 지루했기 때문이야.

가십, 퇴폐, 알콜 중독, 폭력, 마약 같은 단어들. 그런 단어들조차 왜 그녀의 곁에선 하나의 액세서리처럼 빛나고 마는지. 그래, 알 수 없는 것들은 언제나 아름답기 마련이지만. 마르고 제멋대로인. 위태롭고 위약한, 어두침침한 영국 뒷골목의 빌리 홀리데이.

—내 마음에 들지 않는 것들과 화해할 필요는 없지. 단지 노래할 뿐.

나는 정말 그녀가 마음에 들었어. 그 제멋대로인 무모함이 좋았어.

늘 신고 있던 낡고 바랜 플랫슈즈와 잦은 다툼으로 지워지지 않던 몸 곳곳의 생채기. 청춘 같던 푸른 멍. 그래 그녀는 화를 참지 않았던 것뿐이야. 매번 사랑을 참지 않았듯이.

죽음도 한소절의 노래처럼. 강렬하게. 이해할 수 없게. 서늘하게. 미스터리한 영화의 엔딩처럼 설명도 없이, 이유도 없이. 오롯한 두 장의 앨범으로 남은 그녀의 생. 온기 없는 원반 위에 올려진 37.5도의 이야기.

끝없던 여행 같던 그녀의 기행.

그래 끝내야 할 때가 온 것뿐. 고단했을 거란 걸 알고 있어.
하지만 보고 싶어. 당신이 그리워.

I love you Amy.
Good-bye Amy.

# 바다

멀리 떠나온 곳에서 만나는 바다.
그 푸르름 앞에서 종종 눈시울이 붉어진다.

그래, 눈부신 저 푸르름은
모든 걸 잠시 미련 없이 내려둔 자들의 고마운 몫이리.

떠날 때는 다시는 돌아가지 않을 것처럼.
슬퍼할 땐 위로라는 말을 모르는 것처럼.
해를 바라볼 때는 두 눈이 멀 것처럼.
눈물이 날 때는 세상이 다 잠겨버릴 것처럼.
바다를 볼 때는, 내가 땅 위에 발을 디디고 있다는 사실을
모르는 것처럼.

떠났으면 어디서든 바다를 바라보자.

ALION PLAGE

# Read & Learn

그녀는 책을 참 좋아했다.
책을 좋아했고, 글쓰기를 좋아했고, 그런 자기 자신을 좋아했다.

그리고 나는, 그런 그녀와 그녀가 주는 책들을 좋아했다. 세상 무엇보다 자기 자신을 좋아하는 사람이 읽으라는 책은, 그 사람을 읽는 것과 같으니까.

나는 그녀가 주는 책들은 뭐든지 달게 읽었다. 한 줄 한 줄을 공들여 읽고 또 읽고, 그리고는 그녀를 만나 술을 마시며 몇날 며칠을 그 '이야기'에 대해 이야기했다.

그때의 시간들이, 그 어지러움의 시간들과 이야기들과, 부대끼는 속으로 맞이하던 새벽들이 나를 성장하게 했다는 것을, 서른을 조금 넘고 나서 알게 됐다.

우리는 서로의 눈물과 감동으로 자라는 서로의 나무였다. 잎이었다. 한때 글쓰기란 무엇인가에 대해 이야기한 적이 있다. 나는 글쓰기란 생의 틈을 발견하는 것, 그리고 그 틈을 메워나가는 어떤 노력 같은 것이라 했고,

그녀는 글쓰기란 자신에게 자신을 미워하지 않을 수 있는 유일한 어떤 '힘'이라고 했다. 그러기 위해선 끊임없이 읽어야만 한다고. 너 역시 그래야 한다고 결연한 표정으로 이야기하던 그녀의 새하얀 얼굴.

가끔 외진 마음 끝에 달처럼 떠오르는 그 말이 그나마 나를 아직 깨어 있게 한다는 사실을 느낄 때마다, 나는 자주 운다.

그녀는 공기를 먹듯 책을 읽었다. 읽고, 또 읽고, 무언가 발견하지 못하면 괴로워하면서. 읽은 만큼 썼고, 자신이 쓴 것들을 영화로 찍었다.

—연정아, 읽는 것만이 쓰는 것만이 내가 가진 가장 커다란 무기야.

나는 아무것도 없는 사람이지만, 아무것도 두렵지 않아.

아직도 한 페이지의 책을 넘길 때면 나는 그녀의 말을 생각한다. 나는 아무것도 없는 사람이지만, 아무것도 두렵지 않다. 읽어야 할 책

HERODOTE
LIVRES
ANCIENS
ABECEDAIRE

들이 있는 한. 써내야 할 이야기들이 있는 한. 나는 절대로 가난하지 않으며, 두렵지도, 절망하지도 않는다.

그 말들을 떠올릴 때면 어떤 이상한 힘 같은 게 느껴진다. 나는 가끔 그 느낌을 어떤 '길'이 보인다고 함부로 표현해보곤 한다. 내가 걸어가야 할 길.

그녀를 잃고도 시간은 흘러갔고, 어느덧 나는 서른둘이 되었다.

여전히 부족하지 않을 만큼의 책을 읽고, 부지런하게 글을 쓴다. 그리고 정말이지 나는, 아무것도 없는 사람이지만, 그래서 여전히 나는, 아무것도 두렵지 않다.

나를 미워하지 않을 수 있는 유일한 어떤 힘. 나를 단단하게 하는 단 하나의 무기 같은 것.

읽기와 쓰기가 가진 그 힘의 의미를 점점 배워간다. 그렇게 이제 이 세상에 없는 그녀를 나는 하루하루 더 배워간다.

# 우리가 할 수 있는 일

지나치지 않고 잠시 돌아볼 수 있다면,
기다림으로 상처받기 전에 먼저 수화기를 들 수 있다면,
미안해하기 전에 진심이 담긴 편지 한 통을 써내려갈 수 있다면,
수고롭게 돌아오는 너를 고마워하기 전에 너를 위한
찬물 한 잔 떠놓을 수 있다면,
틀리다 생각하지 않고 조금 다를 뿐이다, 고 생각해본다면.

외롭다고 말하기 전에 먼저 너의 손을 잡아줄 수 있다면,
놓쳐서 아까운 것들보다 놓아야 행복할 수 있는 것들을
꼽아볼 수 있다면,
흘러가는 시간에 초조해하기보다 손목에 찬 시계를 풀러
주머니에 넣어둘 수 있다면.

안 된다는 말 대신에 지금 당장 하고 싶은 일들을 적어볼
노트를 펼쳐본다면,

나쁜 운을 탓하기보다 한 번 더 운동화 끈을 조여 맬 수 있다면,
시간을 낭비하고 있다는 생각에 답답해하기보다
한 번의 여행을 떠날 수 있다면.

그립다는 말로 울기 전에 그를 위한 노래 하나 지을 수 있다면,
저 멀리에 있는 아름다움을 그리워하기 전에
눈앞의 꽃 한 송이를 볼 수 있다면,
내가 할 수 없는 일보다 나밖에 할 수 없는 일을
궁금해할 수 있다면…….

# do do do

그래요, 고민해야 돼요. 가슴 아파하고, 상처받아야 해요.
우리, 아직은 그래야 하는 때가 아닐까요.
훗날의 내 모습에 대한 불안감으로 지금을 낭비해서는 안 돼요.
아직 오지 않은 시간 때문에 나의 청춘을 희생하지 말아요.
내 심장을 뛰게 하는 단어에 매달려요.
지금이 아니면 할 수 없는 일이 너무나 많잖아요.

그러니까 지금은,
세상이 떠드는 소리에 귀를 막아요. 쳐다보지도 말아요.
실패해요, 울어요, 사랑해요.
일단 부딪혀요, 깨져봐요, 떠나요.
모험을 해요, 상처받아요, 원 없이 웃어요, 표현해요.
신발 끈을 단단히 묶어요, 지도를 펼쳐요,
세상 곳곳에 나의 발자국을 찍어요.
머릿속에 '지금'이라는 두 글자만 넣어요,

CHÂTELET
Notre Dame
de l'Europe
Sénat

XEMBOURG
ATTENTION
PIÉTONS
FEUX DÉCALÉS
CAFE

참지 말아요, 아끼지 말아요.
이토록 아름다운 시간을 살고 있는 나를,
무엇에든 미칠 수 있는 나의 지금을,
나는 내가 알고 있는 나보다 사실 더 멋진 사람일지도 몰라요.

우리에게 필요한 건 단 한 가지.

그냥 좋은 전부를 찾으려 하지 말고 진짜 좋은 딱 하나만을 찾는 것.

그것만 기억하기.

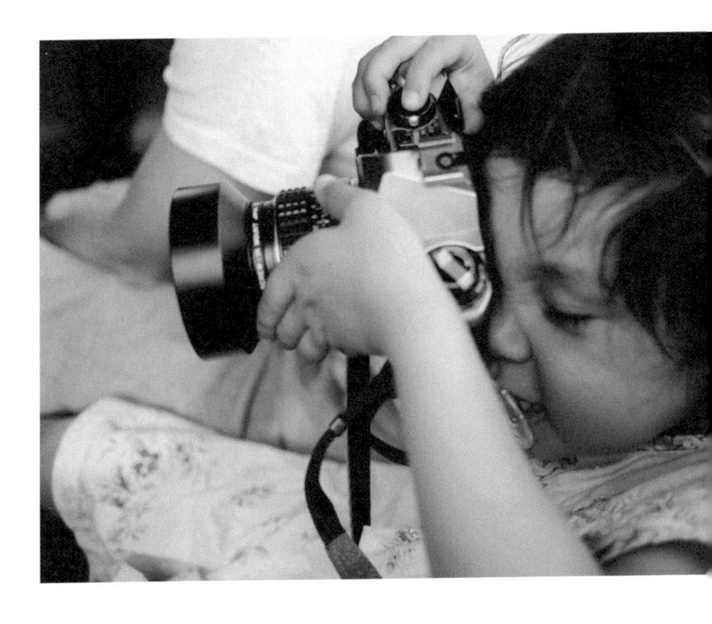

# 그래도 누군가는

도무지 웃을 수 없는 삶일지라도,

차마 눈뜨고 마주하기 힘든 세상일지라도,

이렇다 할 변화도 없고 반짝임도 없는 고리타분한 현실일지라도

그래도 누군가는 끊임없이 이야기해야 한다.

끝없이 농담을 지어내고, 보이지 않는 생의 아름다움을 찬미하고,

목청을 높여 노래해야 한다.

나만 빼고 도는 것 같은 속상한 현실 속에서도,

이 세상에 더 이상의 정의는 사라졌다는 외침에도,

누군가 세상의 종말을 이야기한다 해도,

그래도 누군가는 끊임없이 움직여야 한다.
쉼 없이 사랑을 발견하고,
텅 빈 캔버스에 위로의 색을 입혀야 하고,
마음 끝을 태우는 시를 써야 한다.
그러지 않으면 우리, 너무 힘겨울지 모른다.
그러지 않으면 우리, 이 답도 없는 세상을
너무 쉽게 포기해버릴지도 모른다.

## Part 5

# 어느 아늑한 밤

One
Cozy Night

그래, 떠나온 자의
최고의 무기는
어쩌면
'혼자'라는
사실일지도 모른다

## The travelers

눈빛에서, 걸음걸이에서, 작은 몸짓하나에서 서로를 알아본다.
곳곳에 묻어 있는 바람과 흙의 그림자.
오랜 시간을 걸어온 자들은 몸 어딘가에 길의 냄새를 품고 있다.
곧 떠나게 될 자들과 오랫동안 남게 될 자들의 미묘한 차이.
가진 결핍의 양이 제각각이므로 그 모험의 무게도 제각각이다.

여행지에서 만난 우리는 어딘가 한두 군데쯤 긁히거나 고장 난 사람들.
누구는 제도와 현실이 아프고
누구는 시대의 압박이 아프고
누구는 사랑과 이별이 아프고
누구는 그닥 불만이 없는 내 삶이 아프다.
그러나 왜 그런 우리의 얼굴에 웃음이 흘러넘치고 있는지
아무도 설명할 수 없다.

끈 풀린 연처럼 어지러운 기류를 타고 먼 땅으로 날아와

sentou
PHARMACIE
30
N°Vert 0 800 800 631
26

마음이 가는 곳에 짐을 풀고
밤이면 느릿느릿 기어 나와 맥주 한 잔을 마시며
내가 왜 떠나왔는지 하는 이유 따위를 잊고는
웃고 떠들다 잠이 드는 사람들.

왜 짐을 꾸리지 않고는 견딜 수가 없는지,
왜 계절 감기처럼 주기적으로 떠나고 싶어 몸살을 언어야 하는지,
왜 수취인불명의 우편물처럼 이렇게 멀리 보내어졌다
다시 되돌아가고 마는지.
그 이유를 궁금해하지 않기로 한 게 얼마나 되었는지는
생각조차 나지 않는다.
그러는 사이 나이를 먹었고, 수십 번의 짐을 싸
세상을 떠돌았을 뿐이다.

각자의 자리에 앉아 따로 또 같이 같은 생각을 한다.
외로움. 따뜻한 외로움.

그래, 떠나온 자의 최고의 무기는 어쩌면
'혼자'라는 사실일지도 모른다.
혼자 떠나와 여럿이 되었다가 결국 또 혼자 떠나가는 생의 순환을
우리는 지금 이 여행을 통해 배우고 있는지도 모른다.

우리, 길고도 짧은 이 생을 줄곧 여행이라는 말로 치장하듯이.

사람의 다른 말은 하여 '여행자'여도 좋을지 모른다.

Sortie
VERNON

## 새벽 소리

낮보다 두 배로 커진 시계 초침 소리,
차창 밖으로 내리는 빗소리,
젖은 아스팔트 위를 세차게 달리는 자동차 소리,
가족 중 누군가 냉장고를 열고 물을 마시는 소리,
이웃집에서 들려오는 먼 음악 소리,
사람 없는 인도 위를 또각또각 딛고 있는 누군가의 하이힐 소리,
조용히 책장 넘어가는 소리.

사각사각 흰 여백 위로 미끄러지는 연필 소리,
찰찰찰찰~ 잠시 깨어난 강아지가 마루를 걷는 소리,
어둠 한가운데를 수놓는 쓸쓸한 키보드 자판 소리,
잠든 애인이 숨 쉬는 소리,
창문 너머로 들려오는, 이 시간까지 헤어지지 못한
연인의 아쉬움이 담긴 목소리.

새벽길, 먼지를 쓸어내는 환경미화원의 덤덤한 비질 소리,
가만가만한 바람에도 흔들리는 메마른 나뭇가지 소리.
똑, 똑, 찬물로 감은 내 머리칼에서 떨어지는 물소리,
작게 켜놓은 스피커에서 흘러나오는 미니홈피의 음악 소리,
체온 섞인 이불이 꿈과 함께 뒤척이는 소리,
새벽 비행기 티켓을 손에 쥐고 마른 마루 위에 굴려보는
트렁크 바퀴 소리.

내가 사랑하는 새벽의 모든 소리.

# Plat du jour

가끔 나는 너에게 오늘의 요리 같은 사람이 아닐까 싶어.
무언가 딱히 생각나는 건 없는데 배는 고플 때,
간단하게 먹어도 좋겠지만 왠지 오늘만큼은 이 식사시간을
심심하게 보내긴 싫을 때 생각나는.
혹은 골치는 아픈데 골라야 할 것들이 너무나 많거나,
지금껏 여러 가지 화려한 것들을 먹어보았지만,
이렇게 편한 음식이 가장 맛이 있다, 고 느껴질 때 찾게 되는.

괜찮아.
내가 그렇게 '종종' 너에게 떠올려지는 사람이라면.
그렇게 한순간이라도 너의 시간을 채워줄 수 있다면.
뭐 그런 것도 나쁘지는 않아.

STAUB

# 굿바이, 잔느

누군가에게 꽃을 선물하고 싶은 마음을 알고 있나요?

수많은 꽃무더기 속에서 삼십 분쯤 고민하다 결국 오렌지색 장미 한 다발을 선택할 때의 기쁨 같은 것 말이에요. 그 순간만큼은 당신만 생각하는 거예요. 이런저런 행복한 고민을 하는 거예요. 당신의 취향을 고민한다기보다, 내가 갖고 있는 당신의 이미지를 고민하는 시간이 나는 참 좋아요. 이 꽃 저 꽃을 뒤척이다, 그만 손끝을 가시에 찔려 눈물이 쏙 빠지는 그 순간까지도.

오렌지색 장미여야 한다고 생각했어요. 당신에겐 꼭 이 꽃을 선물하고 싶었어요. 오렌지색 장미는 별로 달콤하지 않으니까요. 달콤한 사랑이나 막연한 슬픔이 아닌, 전체적인 공감과 위로. 나는 그런 나의 느낌을 당신께 전해주고 싶었거든요.

날씨가 좋네요. 물이 가득 든 통에서 꺼내온 장미 다발에서 물이 뚝

뚝 떨어지네요. 가시가 남아 있는 꽃대에 손을 찔리기도 하네요. 누군가를 위해 꽃을 사서 먼 길을 떠나는 일이, 내게는 너무 오랜만이라 나는 내 바지춤이 젖는 줄도, 손이 따끔거리는 줄도 잘 몰랐네요. 이제 이 지하철을 타고 가면 나는 당신을 만날 수가 있겠지요. 괜히 눈물이 날 것 같아요.

그림 속의 당신을 처음 본 것은 이십대, 그 중반의 언젠가였어요. 모딜리아니. 그때의 나는 그 다섯 글자에 많이 흔들리곤 했죠. 텅 빈 눈동자와 긴 목, 화려하지 않은 색채, 표정 없는 사람들. 그 느낌이 좋아 몇 시간이고 그의 그림들을 바라보던 시간이 있었어요. 외로움을 너무 많이 타서 밥을 안 먹어도 배가 고픈 줄 모르던 시절. 이십대는 그런 시간들이 아닐까 해요. 내가 만든 꿈과 우울을 먹고 성장하는 시간. 그 꿈과 우울을 위해 좋아하는 것들 앞에서 며칠 밤을 지새우기도 하는 시간.

미술을 잘 모르는 내가 '좋아하는 화가가 누구냐' 묻는 질문을 받을 때면, 거침없이 모딜리아니라고 말하게 된 건, 내게 그런 시간들이 있었기 때문이에요. 잘 모르는 것들에 대해 거침없이 좋아한다는 말을 내뱉을 때 느껴지는 묘한 죄책감 같은 것들이 유일하게 없는 사람. 모딜리아니.

그건, 그의 그림 속 당신의 얼굴이 내게 수많은 이야기를 들려주었기 때문이라고 생각해요. 얼마만큼은 이해할 수 있었다고 부끄럽지 않게 이야기할 수 있기 때문이라고, 정말 그렇게 생각해요. 나는 당신의 텅 빈 눈동자를 보는 일이, 긴 목과 비스듬히 기울어진 얼굴을 보는 일이 좋았으니까요. 그 아련한 느낌에 자주 목이 메었고, '그림을 보는 일이란 이런 것일지도 몰라' 하는 느낌에 가슴이 설레곤 했으니까요.

페르 라셰즈Pere-Lachaise를 찾는 날은 날이 맑을수록 좋다는 생각을 합니다. 수많은 나무들이 내는 바람 소리며, 그들이 만들어주는 그늘에 쉬엄쉬엄 쉬어가며 바라보는 삶의 끝. 평화로운 정적과 평안. 그것들은 때로 우리가 말하는 끝이란 정말 끝이 아닐지도 모른다는 생각을 하게 하죠. 수많은 무덤가를 한가로이 거니는 일. 끝없이 찾아오는 사람들이 있고, 시들지 않은 꽃들이 놓여지는 삶을 바라볼 때면, 죽어서도 영원한 것은 분명 있다는 생각이 들게 됩니다.

영화 속의 모딜리아니 역은 앤디 가르시아였어요. 그리고 당신, 잔느 역은 엘자 질버스테인. 엘자의 얼굴이 그림 속의 당신과 묘하게 닮아 영화를 보는 내내 한 장면 한 장면이 아까워 어쩔 줄 몰라 했던 기억이 나네요. 당신과 모딜리아니, 그 사랑의 역사가 이 안에 다 있더군요.

당신들은, 내가 하고 싶은 사랑을 하고 있었어요. 활기차고 열정적인 모딜리아니, 그리고 그의 곁에 묵묵하고 아름다웠던 당신. 촉망받던 미술학도였지만 끝내 인기를 얻지 못한 화가와 재능 있는 미술학도였지만 술과 사랑과 생의 활기를 즐기던 모딜리아니의 곁을 떠나지 않은 채 끝까지 자리를 지키던 당신. 수없이 당신을 모델로 세우면서도 끝내 눈동자를 그려넣지 않던 그에게 느껴지던 서운함과 불안함을 애써 감추던 당신. 그것을 사랑이라고 믿던 당신. 집안의 반대에도 불구하고 가난한 화가의 곁을 지키던 당신, 그의 울분을 묵묵히 받아내던 당신. 영화를 보는 내내 나는 몇 번의 정지 버튼을 눌렀는지 모릅니다. 그렇게 멈추지 않고는 견디기 힘든 순간이 너무 자주였기 때문이에요.

자신이 죽을 것이라는 사실을 예감하고, 모딜리아니는 자화상을 그리기 시작하죠. 지독한 생활고, 그리고 집안의 반대로 인한 당신과의 이별. 모딜리아니가 비참하게 세상을 떠났을 때 당신의 뱃속에는 모딜리아니의 아이가 있었죠. 내가 너무나 사랑하는 남자의 아이. 그 아이를 뱃속에 품은 그대로, 모딜리아니의 장례식 다음 날, 당신은 그를 따라가고 말아요. 9층 건물에서 부푼 배를 안고 몸을 던질 때의 당신. 그 결연했던 표정을 기억합니다.

헤어져서는 도무지 버틸 용기가 없는 마음. 그 절망의 순간을 너무나도 이해할 수 있었기에 나는 그를 따라 목숨을 버리는 당신의 모습을 보면서 원망스럽다거나, 어리석다거나 하는 생각을 할 수도, 차마 크게 울 수도 없었어요. 다만, 혹시 모딜리아니와 잔느의 사랑을 아느냐면서 주위 사람들에게 이야기를 들려주다가 혼자 울어버리는 통에 그들을 당황하게 만들곤 했습니다. 알 수 없는 사랑의 정의가 내 안에 자리 잡던 순간이었어요.

쇼팽의 묘를 지나고, 수많은 립스틱 자국이 찍혀 있는 오스카 와일드의 묘를 지나고, 마담 에디트 피아프의 가족묘 앞에 놓인 꽃들을 지나쳐 당신과 모딜리아니의 묘 앞에 섭니다.

이제는 너무나 오래되어 곳곳이 닳아버린 묘비. 수많은 위인들의 화려한 묘비들에 비해 한없이 수수하고 조용하네요. 10년이 지난 후에야 겨우 모딜리아니의 곁에 묻힐 수 있었다는 그 이야기를 떠올리며 당신이 이름이 새겨진 묘비를 가만히 쓰다듬어 봅니다. 묘비의 한쪽에는 각종 펜들이 담긴 작은 컵이 놓여 있네요. 모딜리아니를 위한 선물이겠지요. 그 펜들을 가지고 모딜리아니는 아직도 어딘가에서 당신을 앞에 두고 그림을 그리고 있을지도 모를 일입니다. 그러길 바라요.

가만히 그 위에 오렌지색 장미 다발을 내려놓습니다. 아주 먼 곳에서 당신을 보러왔어요. 이 꽃 한 다발을 진심을 다해 전해주고 싶은 마음으로.

어떻게 하면 사랑하는 사람을 따라 나의 삶을 끝낼 결심을 할 수 있는 건지, 사람들은 의아해합니다. 평범하지 않은 당신과 모딜리아니, 그 사랑의 결말 때문에 사람들은 당신들이 생을 마친 후에야, 당신들의 생에 대해, 또 그림에 대해 관심을 가졌다고 하지요. 아무나 할 수 없는 일이기 때문에, 라고도 할 수 있지만, 반대로 생각해보면 그만큼 누군가를 사랑해본 적이 없는 사람들이 너무 많기 때문에, 라고도 할 수 있겠네요. 그것은 행복한 일인지. 혹은 불행한 일인지.

하지만 저는 행복한 일이라고 생각합니다.
끝없이 나를 잃어가는 것. 희생을 감내하는 맹목, 그렇게 얻는 행복.
필경 사랑은 그래야 하는지도 모르죠.

나는 그럴 수 있을까요. 나는 어떤 사랑을 하고 있는 걸까요.
끝없이 함께 머무르기 위해서는 끝없이 떠나기도 해야 한다는 사실을, 그 때문에 잃어야 하는 것들을 당연하게 받아들이기도 해야 한다는 사실을 언제쯤 무덤덤하게 받아들일 수 있는 걸까요. 영원히 지켜내고픈 것 하나쯤은 품고 살아가고 싶어요. 제게는 사랑이, 그

하나가 되었으면 싶어요.
점점 먹구름이 몰려오네요. 역시나 파리의 날씨는 종잡기 힘든 일이죠. 도무지 눈이 떨어지지 않는 오렌지색 장미 위에 가만히 손 인사를 하고, 가방에서 낡은 펜 하나를 꺼내 통속에 끼워둡니다. 장미를 들고 웃고 있는 당신의 얼굴, 그리고 커다란 당신의 눈동자 속에 비치는 붓을 든 모딜리아니를 생각하며 이만 걸음을 돌려야 할 때가 온 것 같네요

잘 지내요, 그리고 비록 다음 생이 있더라도, 부디 그 무엇으로도 다시 태어나지 않기를 바랍니다. 그 자리에서, 둘만이 있는 그 세상에서 둘만의 그림을 그려가기를. 그렇게 영원히, 영원하기를.

살며 사랑에 지칠 때마다, 오래오래 당신들을 생각할게요.

굿바이 모딜리아니.
굿바이 잔느.

MODIGLIANI

JUDD
GIACOMETTI

## 혼자, 라는 말의 아름다움

혼자 돌아보는 오후의 서점

혼자 보는 최신 영화

혼자 걷는 성북동 거리

혼자 하는 고궁古宮 산책

혼자 듣는 고찬용과 이소라

혼자 하는 네 생각

혼자 떠난 가을 여행

혼자 보는 여선 언니의 신간 소설

혼자 가는 대형마트

혼자 누워 바라보는 입원실 천장

혼자 하는 청소와 이불 털기

혼자 타는 늦은 밤 버스

혼자 거는 전화

혼자 있는 집

혼자 마시는 커피와 때때로 술

by Johanne

혼자 앉은 식탁

혼자 상상해보는 '둘'이라는 단어.

'혼자'라는 말이 없었다면 별로 아름답지 못했을지도 모를 나의 일상.

이 말에 공감한다면, 당신은 '혼자'라는 말의 아름다움을

잘 이해하는 사람.

혹은 '둘이서'라는 말에 깊이 상처받아본 사람.

## 편안해지면 떠날 때가 오는 거야

— 어떻게 지내. 연락이 잘 안 되더라.

— 전화기를 잘 안 가지고 다녔어.

— 그래도 목소리 기다리는 사람이 있는데.

— 미안해.

— 어디쯤이야?

— 프랑스, 디종이야.

— 머물 만해?

— 어디에서든 있고 싶은 만큼 있어. 이곳은 특히나 마음에 들어.
조용하고 담담한 도시야.

— 이제 저녁시간이겠구나.

— 근처 식당에서 간단하게 먹고 들어오는 길이야.
그쪽은 어때? 별일 없어?

— 계속 같은 꿈을 꿔. 밤을 꼬박 새우고 해가 나올 때 자고 있어.
잠이 안 와.

— 무슨 꿈인데?

— 자꾸 그 사람이 나와. 울고 있다가, 웅크리고 있다가……. 어느 날은 나와서 아무 말 없이 서 있고. 꿈에서 깨면 너무 현실인 듯 가슴이 아프고 눈물이 나. 무슨 일이 있는 걸까? 그 사람에게.

— 어떤 예감일 수도 있고, 그냥 너의 마음일 수도 있겠지. 아직도 생각하고 있다던가. 혹은 잘 못 지냈으면 좋겠다, 라던가 하는.

— 아니야. 자주 생각하지도 않는 걸. 알잖아, 나는 꿈을 싫어해. 눈감은 동안 일어난 모든 일을 믿고, 그것에 휘둘리는 게 싫다고. 허상인데 현실인 듯 착각하는 것도 싫고. 즐겁지가 않아. 왜 이런 꿈을 꾸는지 모르겠어. 난 원래 꿈을 잘 꾸지 않는 사람인데.

— 글쎄…… 그럼 이제 자야 할 시간이겠네?

— 그곳은 어때? 디종이라는 곳, 이야기 좀 해봐. 네 얘기 듣다 잠들고 싶어.

— 여기? 음…… 풍요로움과 따뜻함이라는 말이 잘 어울리는 곳? 사람은 많지만 소란스럽거나 복잡하지 않은, 북적이는 사람들도 꽃처럼 반가운 곳. 이런 곳 드물잖아. 내가 여행자라는 사실을 잊게 만들만큼 편안한 곳이야. 며칠 째 다르시 공원 근처의 숙소에 머무르고 있어. 브루고뉴 공국 시대의 건축 양식이 남아 있는 거리를 걸으며, 같은 건물의 사진을 몇 번이고 찍곤 했어. 어쩜 이렇게 아름다울 수 있을까, 하면서. 좀 오래 살아보고 싶은 도시야.

— 정말 부럽다.

— 그래도 내일 모레쯤엔 떠날 생각이야.

— 더 얘기해봐. 그곳에서 가장 마음에 드는 곳.

— 그런 곳은 없어. 그냥 걷다 멈추고, 걷다 쉬는 거지. 다르시 광장 한복판에는 개선문을 떠올리게 하는 기욤문이 있는데, 이곳을 지나 리베르테 거리를 걸으며 상점들을 구경하고, 리베라시옹 광장에서 잠시 쉬며 점심을 먹거나 차를 마셔. 마치 서울에서 그랬던 것처럼 늘 가는 곳에 가. 포르주 거리나 뮈제트 거리를 지나 시장에도 가곤 했어. 며칠만 걷다보면 익숙해지는 곳이야. 그런데 알잖아, 편안해지면 떠날 때가 됐다는 거.

— 편안해지면 떠날 때가 온다……. 그 말 참 슬프다.

— 나는 늘 그렇게 생각해. 이 익숙함에 길들여지면 언젠가 떠나는 발걸음이 무거워지거든. 그럼 마음이 불편해지잖아.

— 사람도 그런 사람이 있잖아. 난 그런 사람들이 무서워. 익숙해질 때쯤 떠나야 한다고 생각하는 사람들……. 정해진 순서처럼, 잠깐의 계절을 살다 가듯이 그렇게 가버리는 사람들.

— 그 사람도…… 그랬다고 생각해?

— 그랬을지도 모르지. 나에게 사랑은 익숙함인데, 그게 누구에겐 권태로 다가오기도 하잖아. 그렇다고 그걸 탓할 순 없고. 남은 사람이 홀로 감당해야 할 몫이겠지. 내가 그런 사람을 사랑했을 뿐, 그 사람이 나를 사랑한 건 잘못이 아니니까.

— 정말? 너는 시라도 써야 될 것 같아.

— 그런가? 여행을 가려고도 했는데, 난 무언가를 잊겠다고 여행을 가

는 사람은 못되는 것 같아. 그냥 내가 있는 곳에서 있는 힘껏 끙끙 앓고, 다 털어내고, 그러고 나서 여행을 떠나면 몰라도. 그래서 지금 끙끙 앓나봐. 꿈을 계속 꾸는 게 너무 힘들어.

— 과정이라고 생각하자. 그만큼 그 사람을 향한 진심이 깊었다는 증거라고 생각하면 되잖아. 너는 당분간 아프겠지만, 그게 네 진심의 흔적이라고 생각하면 견딜 수 있을 거야. 누구를 진심으로 사랑해보지 못한 사람은 세상에서 가장 슬픈 사람일 거야. 그런 의미에서 넌 행복한 사람인지 몰라.

— 너는 이제 괜찮아?

— 나도 자주 꿈을 꿔. 이곳에서도 몇 번을 깨어나서 울었는지 몰라. 그럴 때마다 기도를 해. 이 세상 모든 것들에게. 처음엔 그녀가 무엇으로든 내 주변에 머물러주기를 원했어. 바람이든 꽃이든 새든 나무든, 무엇이든 내 눈에 보이는 걸로 남아 있기를 바랐어. 그런데 지금은 어디론가 떠나서, 그곳에서 온전하게 다시 살았으면 해. 세상에는 그림자로도 남지 말아 달라고, 꿈속에서 성당에서 기도하는 내 모습을 보곤 해.

— 맞아. 그렇게 될 거야.

— 요즘은 무얼 하면서 지내니.

— 정리. 무엇이든 정리를 하게 됐어. 눈에 보이는 것들이 어지럽혀 있는 걸 참을 수 없어. 비뚤어진 것, 제자리에 있지 않은 것, 오래되어 때가 탄 것…… 그냥 볼 수 없어서 제자리를 찾아주다보면 하루

가 가. 그런데도 밤이 오면 잠을 잘 수 없어. 꿈을 꿀까봐.

— 너부터 정리해야 하지 않을까? 네가 지금 마음에 들지 않는 건 정리되지 않은 물건들이 아니야. 자꾸 갈 길을 잃는 네 마음일 거야. 그러니 너무 애쓰지 마. 그냥 두면 언젠가 제자리로 돌아간다는 거, 너도 알잖아.

— 서른이 넘어도 배워지지 않는 게 있더라. 아직 내겐 이런 식의 헤어짐인가봐.

— 정답은 어디에도 없어.

— 속상해.

— 디종에서 제일 유명한 동물이 있어. 올빼미. 이 특이한 동물을 사랑하는 도시가 디종이야. 여기저기 올빼미 모양 장식물을 팔고, 거리의 바닥에는 올빼미 모양의 표식이 관광객들의 이동경로를 안내해주지. 밤, 고독, 외로움 같은 단어를 떠올리게 하는 올빼미가 이곳에서는 친근하게 다가와. 햇살을 가득 담은 이 도시가 올빼미와 어울린다니, 참 신기하지. 이곳의 노트르담 교회의 벽면에는 올빼미 조각이 있어. 그 조각을 만지면 소원이 이루어진다는 얘기가 전해지면서 관광객들의 필수 코스가 되었지. 원래 난 그런 거 믿지 않는데, 한 번 만져본다고 해서 손해는 아니잖아. 그래서 도착한 첫날, 그곳을 찾아 올빼미를 쓰다듬었는데, 옆에 있는 할머니들이 중얼중얼 뭐라고 하시더라고. 내가 아무런 영문도 모른 채 계속 쓰다듬으니까 그중 한 분이 오시더니, 내 왼손을 살포시 들고 올빼미

에 올려주시는 거야. 알고 보니 오른손이 아닌 왼손으로 쓰다듬어야 소원이 이루어지는 거였어. 멋쩍게 웃으면서 올빼미를 쓰다듬곤 얼른 자리를 빠져나왔지. 그런데 그곳을 벗어나면서 생각해보니 올빼미를 쓰다듬으면서 아무 소원도 빌지 않은 거야.

— 그래서 어떻게 했어?

— 다시 가서 쓰다듬었지. 그런데 웃긴 게 또 있어.

— 뭔데.

— 내가 자꾸만 그곳을 찾아 올빼미를 쓰다듬고 있는 거야. 하루에도 몇 번씩……. 다른 곳을 돌아다니다가도 생각이 나면 그곳에 가서 줄을 서 기다렸다가 올빼미를 쓰다듬었어.

— 때마다 다른 소원을 빈 거야?

— 아니. 하나.

— 무슨 소원인데?

— 그냥…… 소원.

— ……

— 헤어짐에는 의심과 불안이 따르잖아. 올빼미 조각을 찾아 손을 얹고 소원을 빌고 돌아오다보면 다시 무언가를 빌어야 겨우 이루어질 것 같은 거야. 차가운 올빼미를 왼손으로 감싸쥐면서, 한편으로는 이루어지지 않을 거라는 걱정을 했던 것 같아.

— 나라도 그랬을 거야.

— 작은 조각에 불과한 올빼미를 향해 이렇게 절실해질 줄 몰랐어.

— 마음이란 게 그렇잖아. 절실해지면 작은 먼지 하나에도 기도할 수 있어.

— 너를 위해서도 소원을 빌게. 떠나기 전 한 번 더 들러서.

— 부엉이가 들어줄까. 내 소원을?

— 그럼. 진심으로, 그렇다고 믿는다면!

너무 정리하지 말고, 잠 못 들지 말고, 지금 너의 상태를 그냥 받아들여. 잠이 들 수 없다고 생각하면 너는 계속 잠들지 못할 거야. 현실을 긍정해. 밤이 되면 꼭 자. 그렇게 견디지 않으면 영원히 극복할 수 없어. 무언가를 해결하려면 그것을 정면으로 응시해야 해. 너의 상처로부터 도망가려고 하지 마.

— ……

— 자는 거야?

— 아니. 그냥, 눈물이 나서.

— 아, 난 이제 씻고 자야겠다. 이 도시를 떠나기 전에 할 일이 많아.

— 무슨 일이 그렇게 많아?

— 성당에 들러 초를 켜야 해. 여행지에서 마주친 모든 성당에 초를 켜왔어. 성당의 초를 보면 그냥 지나칠 수 없더라고. 작게나마 소원을 빌고, 하늘에게 내 작은 빛을 선물하는 게 좋아. 새로운 곳으로 떠날 채비도 해야지. 여행이란 떠날 때 할 일이 더 많은 법이야. 물론 어떤 일이든 그런 거 아닐까?

— 어떤 마음일까?

— 누구나 어떻게 사라져야 하는지를 놓고 고민하지 않잖아. 근데 나는 늘 그게 고민스러웠어. 어떻게 사라져야 할까. 마지막을 나의 뒷모습을 어떻게 정리해야 할까, 하는 것 말이야. 그렇다고 반드시 죽음을 얘기하는 건 아니고, 그저 모든 상황에서의 마지막을 고민하는 거지.

— 맞아. 어떻게 사라져야 할까에 대해 아무도 고민하지 않지.

슬픈 일이야.

— 얼른 자.

— 당분간 목소리 듣기 힘들겠지?

— 이해해줘. 난 여행중이잖아.

— 그래, 고마워. 건강해. 잘 돌아와야 해.

— 걱정하지 마. 잘 견디고 있으니까.

내가 돌아가면 너의 일도 잘 풀릴 거야.

— 오늘도 꿈을 꿀까.

— 글쎄. 자보면 알겠지.

— 안녕.

— 그래, 안녕.

Project
Worksheet

# 서른하나, 어느 날

2011. 6. 20

삶이 곧 소설이었던 한 남자의 글을 읽는다.
끊임없이 자신의 곤궁에 대한 엽서를 쓰고 처지의 비관에 대한
편지를 띄우며
여기저기 돈을 요청하는 남자.
틀림없이 좋은 사람이 되겠다는 결심을 하면서
한편으로 어서 빨리 죽고 싶어,
견딜 수가 없다고 하소연하는 남자.

이렇게 풍요로운 나라로 떠나와 끝없이 비참한 그를 읽는다.
나는 놓고야 말겠다는 것들을 끝까지 붙들고 있다.
삶의 양면, 행과 불행.
어느 한쪽이 없다면 완전한 생이 될 수 없음을
이해하는 중일지도 모른다.

MAHLER'S
UNKNOWN LETTERS

IMPORTED

언젠가, 가깝고도 먼 미래에 작은 술집을 열어
그의 이름을 단 칵테일을 만들겠다고 생각한 적이 있다.

칵테일의 이름은 다자이 오사무.
너무 쓰고 독하지만, 알 수 없는 매력이 있어 자꾸만 마시게 되는 술.
그것은 생의 농축.
이를테면 불안을 해소하기 위해 끊임없이
또 다른 불안을 마셔야 하는 삶과 닮아 있다.

아마 내일을 기다리지 않으면서
미래를 놓지 못하는 자들만이 그 술을 찾게 될 것이다.

이곳은 연이어 비가 내리고, 좀처럼 맑지가 않다.
생. 양면. 다자이 오사무.
이 어두침침한 세 단어를 적어놓고
나는 며칠 째 맑은 해를 기다린다.

# 시인이 사는 동네

한 남자가 가슴팍에 커다란 돌을 얹은 채 하늘을 보고 누워
낮잠을 잔다.
어디선가 부리나케 달려오는 소녀.

—아버지 왜 그래?

그러자 그 남자가 대답한다.

—응, 하늘로 날아가버릴 것 같아서 그래.

그 남자는 시인이었다.

시인을 이야기하는 책에서 본 장면 때문에 나는 근 며칠을 붕 뜬 마음으로 지냈다. 시인을 시인일 수밖에 없게 만드는 것이 무언인지를 생각할 수 있었고, 그럴 때마다 눈물 내지 한숨 같은 것들이 터져나

왔다. 막막하고 벅차오르는 기분. 그렇게 아름다울 수 있다니.
나는 지금, 그 시인이 살던 동네 주변에 산다. 이따금씩 그 시인이 살던 집터 주변을 지나갈 때도 있고, 친한 친구가 그 주변에 살아 그곳에서 술을 마시기도 한다. 지금은 차들이 복작거리고, 많은 곳이 재개발된 지역이다.

많이 괴팍했단다. 술밖에 몰랐다고 한다. 사람을 가렸고, 시와 자신과, 술 말고는 관심 있는 것 또한 별로 없었단다. 얼마나 빈한 삶을 살았는지 그가 죽고 난 뒤, 그에게는 자신의 시집 한 권조차 없었다.

보이지 않는 삶의 면면을 이야기하기 위해서는 삶의 구석진 곳까지 모두 경험해보아야 한다. 알지 못하는 그 끝에 다녀와본 이들만이 시를 쓴다.

지금도 기분이 내키는 날이면 우리 집에서부터 시인이 돌아다녔을지 모를 길을 따라 그 동네까지 걷곤 한다. 그리도 오래된 냉면집에 들러 냉면도 먹는다. 곳곳에 이야기가 참 많은 동네다. 시인에게는 참 좋았을 동네다.

다음 생이 있다면 나는 시인으로 태어나고 싶다.
시인의 눈을 가지고, 시인의 손을 가지고, 가능하다면 다시 이 동네에서. 내용 없는 아름다움을, 아름다움으로 이야기할 수 있는 사람이 되어 잠든 사이 하늘로 날아가버릴까봐 돌 하나를 가슴에 이고 자는 그런 마음을 가지고서 말이다.

내용 없는 아름다움처럼.

가난한 아희에게 온
서양 나라에서 온
아름다운 크리스마스카드처럼

어린 羊들의 등성이에 반짝이는
진눈깨비처럼

—김종삼 '북치는 소년'

# 노래가 없었다면

노래가 없었다면, 나는 어떻게 울어야 할까.
노래가 없었다면, 또 나는 어떻게 웃어야 할까.
어느 날, 나를 속속들이 외롭게 만들던 멜로디 한 구절을 붙들고
문득 생각에 잠긴다.

그래, 이 느낌이 없었다면,
나는 무엇에 기대어 어디로 흘러갔을까.

고립된 유년을 보낸 시골에서도,
외로운 청춘을 보내고 있는 도시에서도,
노래는, 필요했다.

음악은 생에 대한 진지한 눈을 갖게 해주었고,
생의 뒷면에 자리 잡고 있는 우울과 불안을 가만히 지켜보게 해주었고,
눈앞에서 살랑살랑거리는 행복을 거리낌 없이 마주 볼 수 있게

해주었다.
노래는, 음악은, 그런 것이다.
삶을, 삶이게 해주는 것.
노래를 부르는 사람은 그래서, 아름답다,

나는 노래하는 이의 두 눈을 바라보는 일을 사랑한다.
노래하는 이의 눈 속에는 자신을 넘어 그것을 바라보는
사람의 마음까지
서슴없이 안아주겠다는 진지한 이해의 뉘앙스가 담겨 있다.

수많은 상처와 눈물이 모여 노래가 된다.
넘치는 웃음과 행복이 모여 노래가 된다.
노래로 살아가는 이들은, 노래 때문에 살 수 있는 우리는
모두 그 사실을 알고 있다.

눈물이 방울방울 맺히는 날,
다른 것 아닌 가만히 노래를 찾는 일도
혼자 걷는 길 위 자연스레 이어폰을 귀에 꽂게 되는 일도
오랜만에 만난 친구와 술 한 잔을 걸치고 기어코 마이크를
집어들러 가는 일도
모두 이 무거운 생에 대한 자신만의 처방이다.

무심히 집안 가득 좋아하는 노래를 틀어놓고 사전을 펼쳐본다.
그 안에, 노래라는 음절이 가진 또 다른 뜻이 있다.

노래勞來 오는 사람을 맞아 수고를 위로慰勞하여 줌.

절로 고개가 끄덕여진다.
삶에 지쳐 타박타박 걸어오는 나를 맞이하며,
그 수고로움을 위로해주는 것.

노래가 없었다면 나는 이 생을 제대로 차려살 수 있었을까.
사랑하는 이 세상의 모든 노래가 없었다면.
네가 나에게 불러주던 그 숱한 밤들의 노래가 없었다면.

# 그 순간, 그뿐

즐거운 것은

단지 내 마음이 울렁거릴 정도의 문장과 만날 때.

그 순간, 그뿐.

# 물의 도시

물을 좋아해.
고여 있는 것보다는 어디로든 흘러가는 것을 좋아하고, 굳어 있는 것보다는 손에 만질 수 없이 투명하게 풀어져 있는 것을 좋아해. 그 안에 무엇을 담그던, 있는 그대로를 보여주는 맑고 투명한…….
그래, 바로 물.

그래서 물이 흐르는 도시를 좋아해.
사랑하는 사람의 몸과 마음에 스며들 듯이, 온몸으로 물을 껴안고 있는 도시. 이탈리아의 베니스가 그랬고, 벨기에의 브뤼헤가 그랬고, 중국의 주장이 그랬지. 바람이 흘러가는 소리를 들으며 하루를 사는 것. 매일, 같은 자리에 고여 있는 나에게 자꾸만 어디론가 흘러가라, 흘러가라, 노래하는 소리를 들으며 자꾸만 마음이 어지러워지는 것. 물과 함께 산다는 건 그런 거야.

프랑스 안시Annecy의 물길은, 이제껏 본 도시를 흐르는 물길 중 가장 맑은 빛을 가진 것이었어. 물이란 사람과 맞닿아 있다보면 아프기 마련인데, 이곳의 물은 그 어느 곳의 물보다 건강해 보였어. 투명하지도 푸르지도 않은 옥색 빛의 물. 어디에서도 본 적 없는 그 물빛에 나는 몇 번이고 그 물에 뛰어들 듯이 안을 들여다보곤 했지.

다.른. 세.계.

물끄러미 물속을 들여다보다가 혼자 내뱉곤 하던 네 글자.

안시의 물은, 다른 물의 도시에서 보았던 '생활의 물'이 아니었어. 사람이 물을 품어 사는 게 아니라, 물이 사람을 품어 사는 곳. 안시의 물줄기에는 물 자체로 존중받고 있는 느낌이 있어. 그 물을 바라볼 때마다 알프스에 품어져 살아가는 이들의 청결하고 도도한 푸른 눈동자가 떠오르는 데는 그만한 이유가 있었을 거야.

티우 운하Canal du Thiou를 통해 흐르는 강물이 있는 수변도로를 거닐며, 안시 호수가 있는 저편까지 거니는 시간. 주말에 서는 시장 속 수많은 인파를 스쳐지나, 곧이어 올리브 상점을 지나, 푸르고 깨끗하게 정돈된 상추와 파프리카가 놓인 상점을 지나, 달게 익은 레드베리와 체리가 널려진 상점을 지나 릴르 궁전을 거쳐 구시가를 통과해. 론 알프 지방만이 가진 이 맑고 청명한 느낌. 저 멀리 높이 흐르는 알

Auberge du Lyonnais
Hotel

프스 산맥이 보여.

처음 여행을 떠난다고 했을 때, 넌 '그런다고 달라지는 게 있을까'라고 말했지. 그런다고 달라지는 게 있을까. 말없이 빨대 끝을 씹으며 할 말을 대신하던 네가 건넨 그 마지막 말. 그 말을 끝으로 너는 자리를 털고 일어나버렸지만, 나는 내내 그 카페 한구석에 앉아 있었어.

있잖아 친구야.

나는 달라지는 게 없기를 바랐기 때문에 떠나고 싶었던 거야.

누군가를 잃었다고 해서 내가 달라지는 일이 없기를. 내가 가진 행복에 대해 괜스레 죄책감을 갖지 않기를. 끝내 내가 누려야 할 행복을 다 누릴 수 있기를.

상실, 이라는 의미에 대해 생각해.

무언가를 온전히 잃고, 잃어버린 그 자리를 천천히 되짚어볼 때의 그 서늘한 느낌. 서른한 해의 삶 동안 나는 이 '상실'이라는 두 글자의 의미를 알지 못했던 것 같아. 무언가를 정말 잃어버린다는 건, 이 세계 밖의 일이지. 상실한다는 것은 우연히라도 스쳐지날 수 있거나, 마음먹으면 억지로라도 살펴볼 수 있는 그런 게 아니야. 이제는 더 이상 내가 속한 세계와는 다른 세계 속으로 사라지는 거야. 그 두 글자가 가진 엄청난 무게를, 나는 그녀를 잃고 가슴속 깊이 알게 됐어.

요즘 자주 꿈을 꿔. 우리 셋이 함께 마주 앉아 있는 꿈. 고운 손으로 간간이 책장을 넘기다 커피를 마시는 너와 무언가를 끼적이는 나, 그리고 피곤한 얼굴로 한 손에 담배를 들고 물끄러미 저 건너편을 응시하고 있는 그녀. 이따금 최근 읽은 책이나 힘들게 본 영화에 대해 이야기를 하고, 그렇게 말없이 앉아 있고, 또 말없이 식사를 하러 자리를 뜨곤 하던 날들. 셋이 모이면 별 이야기가 필요하지 않았던 우리. 각자의 사진기를 들고 뷰파인더를 통해 찰칵찰칵 사진을 찍거나, 카페 주인에게 음악을 신청하거나, 커피를 리필하거나 그게 만남의 전부였던 우리.

열아홉부터 서른하나까지의 우리. 우리는 서로를 너무나 잘 알고 있었지. 혹시 너는 짐작하고 있었니? 언젠가 그녀가 저 멀리 홀로 날아가버릴지도 모른다는 사실을. 서로를 너무나 잘 알기에, 말도 없이, 조금의 인기척도 없이 홀로 사라져버릴지도 모른다는 사실을.

안시 호수의 물빛은 산의 빛이야. 저 멀리 구불거리는 능선으로 펼쳐진 알프스의 끝자락. 마치 이 맑은 옥색빛의 물들은 저 산으로 안기러 흘러가듯이, 흐를수록 산의 색깔과 빛이 같아져. 나는 살며, 이렇게 맑게 고여 있는 호수를 본적이 없어. 내 얼굴을 이렇게 온전히 투영해내는 호수를 만난 적이 없어. 이렇게 맑은 물속에 티끌 하나라도 던질 용기를 가진 사람은 아마 없을 거야.

알프스 산자락에서부터 흘러내려오는 신선한 공기를 들이마시며 뢰로프 공원을 향해 걸어가. 플라타너스가 시원스럽게 뻗어올라간 그곳. 저기 울창하게 자란 나무들이 만들어낸 그늘 아래에 사람들이 휴식을 하고 있네. 공을 차는 아이들, 작은 담요를 깔고 누워 눈을 감은 연인, 어깨동무를 하고 잠시 휴식을 취하는 노부부, 정신없이 뛰어노는 강아지들, 초록에 안긴 사람들의 얼굴이란 원래 이토록 아름다운 건지. 얼굴 한가득 넘쳐흐르는 생기가 불편할 정도로 포근해. 그래, 세계의 한 편에는 같은 시간을 이렇게 쓰고 있는 사람들이 있지. 그럴수록 지구 한구석 어디에선가 메마른 얼굴로 이 시간을 살고 있을 사람들이 떠올라. 도대체 누가 이런 시간을 서로 다르게 선택해 살게 한 걸까. 어쩌면 인간의 삶이란 선택이 아닐지도 몰라. 그저 주어지는 것. 그 이상 그 이하도 아닐지 모르지.

빈 벤치에 앉아 있다 다시 마음을 추슬러 작은 다리 하나를 건너가기로 해. 이 다리를 건너면, 저 건너편엔 샹드마르스Champ de mars 공원이 있어. 작은 회전목마가 예쁘게 돌아가는.

샹드마르스 공원을 향해 놓인 이 다리의 이름은 사랑의 다리. 언젠가 벨기에의 브뤼헤에서 같은 이름을 가진 호수를 만난 적이 있었어. 사랑의 호수. 그 호수를 함께 본 연인들은 오래도록 사랑에 빠진다는 이야기가 전해지는. 나는 그 호수 앞에서 아주 잠시 망연해졌던 기억이 있어. 10월, 브뤼헤의 상쾌한 햇살과 잔잔한 사랑의 호수. 아련했던 마음과 이름 모를 복잡한 감정들이 뒤섞이던 그 순간. 그날의 색과 느낌은 한 장의 사진처럼 아직 내 마음속에 또렷하게 남아 있어.

사람들은 물을 보면 본능적으로 '사랑'이라는 두 글자를 상상하게 되는 걸까. 나는 물을 보면 동시에 '회귀'라는 단어가 떠오르곤 하는데, 어찌 보면 사랑과 회귀는 별반 다른 말이 아닐지도 몰라. 결국, 돌아갈 곳을 찾아 헤매는 일. 사랑의 다리도, 사랑의 호수도, 결국 누군가를 향해 흘러가고픈 사람들이 지어낸 이름일지도 모를 일이지. 아마 루소의 소설 속에서처럼, 이 다리에 서서 누군가 역시 사랑을 속삭여보았을 거야. 수많은 사랑들이 이 다리를 지나며 '사랑의 다리'라는 이름을 불러보았겠지. 이별이라는 말은, 상상조차 할 수 없는 수많은 사람들이.

그날, 수화기 건너편 너의 목소리를 기억해. 설 연휴를 며칠 앞두고 있던 날이었지. 너의 이름이 뜨는 전화기를 보고 나는 한참을 받을 수 없었어. 예감이란 참 신기하지. 나는 그날 너에게 오는 전화를 보면서 분명, 울게 될 거야, 하는 느낌이 들었어. 그리고 수화기를 들었을 때, 너는 내 이름을 부르곤 한참을 그렇게 혼자 울었지.

—연정아, 그녀가…… 그녀가…… 떠나갔어, 가버렸어.

CREPE PERRIERE
GLACES

나는 그때 너의 울음소리를 처음으로 알게 되었어. 약한 모습을 보이는 일을 싫어하던 네가 11년이라는 세월 만에 처음으로 낸 울음 소리.

—우리는 어떡해야 되지? 연정아, 이제 우리는…… 어떡하지?

수화기 건너편의 너는 너무나도 서러운 듯 울었어. 너는 실감을 한 모양이구나. 너는 그녀를 잃어버렸다는 사실을 정말 느낀 모양이구나. 도무지 눈물이 나지 않던 나는 잠시 그런 생각을 했던 것 같아. 그리고는 세상이 이렇게 소리 없이, 그리고 갑자기, 너무나도 얄미웁게 무너져내릴 수도 있구나, 라는 사실을 그제야 느낄 수 있었어. 그리고 나서야 한없이, 서럽게 울었지.

풍요로운 명절이 다가오기 며칠 전, 그녀는 그렇게 쓸쓸하게 혼자 떠나간 거야. 나는 그렇게 전화를 끊고, 책상 앞에 앉아 한 시간 동안을 멍하니 앉아 있었어. 누군가, 내가 속한 세계에서 홀연히 빠져나갔다는 사실을 도무지 느낄 수 없었지. 그 빈자리를 되짚어보는 일이 무서웠어. 그것은, 단 한 번도 비워질 거라 생각 못한 자리야.
샹드마르스 공원에 앉아 뒤늦은 점심을 해. 레스토랑은 이미 점심시간을 마감하고, 커피나 맥주만을 내놓고 있는 시간이야. 마른 빵에 얇은 살라미가 두어 장 곁들여 있는 샌드위치, 그리고 작은 복숭아 두 개. 마치 미술관에 앉아 점심을 하듯, 드넓게 펼쳐진 그림 같은 풍경을 바라보며 먹는 둥 마는 둥 시간을 보내.

내 손에 닿지 않는 저 건너편은 정말 이 세계인 걸까.

미각을 잃은 점심을 하다 문득 든 생각이야. 눈앞에 펼쳐진 정경이 너무나도 그림 같아서 현실감각을 잠시 잃고 만 건지, 나는 지금 마치 화가가 그려놓은 프레임 밖에 홀로 앉은 관람객 같아. 오후의 태양이 물결에 반사되어 금빛 모래알처럼 빛을 내고 있어. 눈이 부셔. 정말, 아름답다.

친구야, 저 호수를 건너가면 건너편엔 무엇이 있을까. 이 물길을 건너 저곳에 닿으면 그 무엇도 궁금하지 않게 될까. 내가 이편에서 보려 했던 것들을 다 볼 수 있을까.

하지만 나는, 우리는, 모두 알고 있지. 진정한 건너편의 아름다움은 내가 속한 이편에서만 진실로 볼 수 있다는 걸. 그러므로 친구야, 나는 내내 이편에 서서 그녀가 먼저 떠나간 그곳을 있는 그대로 바라볼 작정이야. 좋은 곳이겠거니, 아름다운 곳이겠거니, 내가 보지 못한 그곳은 분명 편안함만 있겠거니. 그녀는 그곳에서도 부지런히 글을 쓸 것이고, 분명 맘껏 영화를 만들고 있겠거니. 그렇게 여전히 그녀답게 살고 있겠거니, 그렇게 생각하려고 해.

나는 이편에 서서 내가 살아갈 시간들을 묵묵히 살아내야지. 그녀가 살고 간 서른세 해의 시간을 넘어, 내게 주어진 운명의 시간들을 모두 다. 빨리 쓰려고도 하지 않고, 질척대지도 않고, 담백하게 묵묵히.

너와 내가 가진 추억. 우리들의 빛나던 이십대.
친구야 그러니 우리는 끝내 행복해지자. 우리들의 거창했던 약속을 모두 뒤로하고 먼저 떠난 그녀를 원망하지도, 또 남아 있을 뿐인 우리 스스로를 자책하지도 말고. 그래, 그러는 것만이, 그녀를 잃지 않는 방법일 거야. 그건 너도 잘 알고 있을 거야. 너는 나보다 더 따뜻하고 영민한 여자니까.

호수를 뒤로하고, 다시 구시가지를 향해 걸음을 옮겨. 수변도로 곁의 레스토랑에 앉아 맥주 한 잔을 시켜놓고, 거리 악단의 음악을 듣는다. 너무나도 멋진 음악에 내가 내놓은 2유로의 돈은 너무나 볼품이 없구나. 오늘 이곳에서 하루 묵어갈까 잠시 고민하지만 자리를 털고 일어나. 안시는 그런 도시 같아. 머물지 않고 흘러가는 게 맞는 도시. 이 도시를 타고 흐르는 그 맑은 물처럼, 잠시 머물러 흘러가 오래오래 그리워하는 게 좋은 도시.

이제 기차를 타러가야 할 시간이야. 나는 다시 리옹으로 돌아가야 해. 강물처럼 흐르는 기차를 타고, 그렇게 내 서른하나의 두 시간을 흘러가야 해. 오늘 밤은 꿈 없이 잠들고 싶어. 너도 틀림없이 잘 지내고 있기를.

기억해줘, 우리는 이 슬픔을 잊을 거라는 사실조차 잊을 때까지 어디로든 흘러가야 할 거야. 너도 그 생각에 숨이 차오를 때쯤 다시금 짐을 싸기를.

그땐 내가 너의 안부를 기다릴게.

안녕 내 친구. 네가 너무나 보고 싶다.

# 작가의 말

그리움.
나의 서른하나는 저 세 글자에서 시작되었다. 그리고 저 세 글자로 끝이 났다. 무언가를 잃어버린다는 것의 진짜 의미를 내 몸 하나하나를 통해 절실하게 알게 된 시간들이었다. 오랜 친구를 뜻밖의 일로 잃고, 나는 그렇게 많이, 아팠다.

산다는 것에 대해 이렇게 골몰해본 적이 있던가.
부끄럽게도 사랑하는 친구를 잃어버린 후에야 나는 산다, 는 그 두 글자의 진짜 얼굴을 보았다. 그것은 자주 잊히는 얼굴이고, 자주 버림받는 얼굴이고, 자주 홀대받는 얼굴이었다. 너무 당연해서이기도 하지만 무한하다는 착각 때문이기도 했다. 당장 1초 후에 내 곁에서 없어져버릴 두 글자가 될지도 모른다는 사실을 나는 너무 오래 잊고 있었다.

나는 슬프지 않으려고 이 글을 썼다. 따뜻해지려고, 더 아름답게 살려고 이 글을 썼다. 그러지 않으면, 그 '산다'는 두 글자의 얼굴을 더 많이 외면할 것 같았다. 가슴 아픈 것들에게 미안한 줄 알면서도 으레 차가운 얼굴을 보이듯이 그렇게 등 돌릴 것 같았다.

며칠 후면 그녀가 떠난 지 일 년이 된다.
누군가의 기일을 매해 달력의 첫 장에 적으며 시작하게 되는 날이 올 줄 알지 못했듯이, 앞으로 내게 닥쳐올 누군가와의 헤어짐은 또 얼마나 갑작스러울 것인지. 하여 나는 더욱더 '산다'는 두 글자의 얼굴을 더 깊이 응시하려 한다. 되도록 많이 쓰다듬어주고 바라봐주고 들여다보고 가슴에 품어주려 한다. 그것이 나의 얼굴이건, 또 다른 누군가의 얼굴이건, 되도록 많이, 진심을 다해.

내 서른두 해의 삶을 꼭 안아본다, 라고 나는 책에 썼다.
그 순간, 내 안에서 울컥하고 올라온 무언가를 설명하기 위해서는 당신에게도 그런 시간이 필요하다. 이 책과 함께하는 동안 부디 당신에게도, 그런 시간들이 생겨나기를 바란다.

아울러 슬프지 않으려, 따뜻해지려 쓴 이 글이 당신에게도 같은 위로가 되었으면 한다. 얼마 되지 않았으나, 나는 감히 알 것도 같다. 나의 글에 늘 고개를 끄덕여주는 당신이야말로, 내가 바라본 '산다'는 그 두 글자가 가진 가장 아름다운 얼굴이라는 사실을.
이 책은 보이지 않는 곳곳에 웅크리고 있는 당신에게 내가 내밀 수 있는 가장 따뜻한 손이다. 부끄럽지 않도록, 부디 당신, 나의 이 내민 손을 말없이 잡아주었으면. 그리고 우리, 이제 우리가 가진 그 '산다'는 두 글자의 얼굴을 더 따뜻하게 바라보았으면.

책이 완성되는 동안 일 년이라는 시간이 또 훌쩍 지나갔다.
그리고 그리움은 그 시간만큼 더 깊어졌다. 하지만 슬프지는 않다. 그리움이 없으면, 글도 없다. 또한 나도 없다. 이 그리움이 지속되는 동안 아마도 나는 잘 쓰며 버틸 수 있을 것이다.

그러니 거기 당신 역시 그 자리에서 잘, 있어주기를.
수고로운 하루를 살고, 피곤한 몸을 뉘이고 다시 덤덤한 마음으로 하루를 시작하기를. 지친 몸으로 버스를 타고, 외로운 식사를 하더라도, 긴 밤길을 지나 가끔은 현관문을 열기 싫어 머뭇거리는 순간이 오더라도, 지금의 이 생을 다 지우고 처음부터 시작하고 싶은 마음이 들더라도, 부디 당신의 자리에서 또 다른 아침을 맞이하기를.

영영 가질 수 없이 잃어버리기 전에 한 번이라도 더, 당신에게 주어진 '산다'는 두 글자를 따뜻하게 만져주기를. 여기에 있는 나는, 진심으로 바란다.

늘 봄을 기다리며,
장연정

thanks to
Yu-jin & Toma Favaro,
그리고 나의 친구 최.고.은.에게

GLD 236T